CRIAÇÃO
BÍBLIACOMPATÍVEL

TATIANE JOSLIN

CRIAÇÃO
BÍBLIACOMPATÍVEL

VIVENDO UMA MATERNIDADE BÍBLICA

Edição estendida com um capítulo para pais escrito por **Daniel Joslin**

Vida

EDITORA VIDA
Rua Conde de Sarzedas, 246 — Liberdade
CEP 01512-070 — São Paulo, SP
Tel.: 0 xx 11 2618 7000
atendimento@editoravida.com.br
www.editoravida.com.br
@editora_vida /editoravida

Editora-chefe: Sarah Lucchini
Revisão: Josiane Anjos e Paulo Oliveira
Revisão de provas: Eliane Viza, Jacqueline Mattos, Larissa da Mata e Mara Eduarda V. Garro
Coordenadora de design gráfico: Claudia Fatel Lino
Projeto gráfico: Vanessa S. Marine
Diagramação: Vanessa S. Marine e Carla Lemos
Capa: Paulo Lima
Imagens de miolo: Freepik | @freepik

CRIAÇÃO BÍBLIACOMPATÍVEL
©2023, by Tatiane Joslin

Todos os direitos desta edição em língua portuguesa são reservados e protegidos por Editora Vida pela Lei 9.610, de 19/02/1998.

É proibida a reprodução desta obra por quaisquer meios (físicos, eletrônicos ou digitais), salvo em breves citações, com indicação da fonte.

■

Exceto em caso de indicação contrária, todas as citações bíblicas foram extraídas da Nova Versão Internacional (NVI) © 1993, 2000, 2011 by *International Bible Society*, edição publicada por Editora Vida.

Todos os direitos reservados.

Todas as citações bíblicas e de terceiros foram adaptadas segundo o Acordo Ortográfico da Língua Portuguesa, assinado em 1990, em vigor desde janeiro de 2009.

■

As opiniões expressas nesta obra refletem o ponto de vista de seus autores e não são necessariamente equivalentes às da Editora Vida ou de sua equipe editorial.

Os nomes das pessoas citadas na obra foram alterados nos casos em que poderia surgir alguma situação embaraçosa.

Todos os grifos são do autor, exceto os indicados.

1ª edição: set. 2023
1ª reimp.: jan. 2024
2ª reimp.: maio 2024

Dados Internacionais de Catalogação na Publicação (CIP)
(Câmara Brasileira do Livro, SP, Brasil)

Joslin, Tatiane
  Criação Bíbliacompatível: vivendo uma maternidade bíblica / Tatiane Joslin. — Guarulhos, SP: Editora Vida, 2023.

  Bibliografia.
  ISBN 978-65-5584-445-0
  e-ISBN 978-65-5584-456-6

  1. Bíblia - Estudos 2. Criação - Ensinamento bíblico 3. Filhos - Vida religiosa 4. Mães e filhos - Aspectos religiosos - Cristianismo 5. Maternidade - Aspectos religiosos - Cristianismo 6. Princípios bíblicos 7. Vida espiritual - Cristianismo I. Título.

23-168067   CDD-248.8431

Índice para catálogo sistemático:
1. Mães e filhos : Educação cristã : Cristianismo 248.8431
Aline Graziele Benitez — Bibliotecária — CRB-1/3129

DEDICATÓRIA

Para você que gerou em seu ventre, ou em seu coração,
e tem o grande desejo de conduzir seu filho
na perfeita vontade de Deus.

Para meus filhos, Giovana e Noah.
Vocês me motivaram a buscar revelação
de Deus sobre tudo que registrei neste livro.
Vocês são meus maiores presentes nesta Terra.
Eu os amo de todo o meu coração!

Para minha mãe, que é a mulher que mais
me inspirou para exercer uma maternidade bíblica.
E meu pai, que me transmitiu sua paixão pela Bíblia.
Eu amo vocês!

Para meu marido, Daniel.
Como eu aprendo vivendo ao seu lado!
É um privilégio dividir minha vida com você.
Eu amo você para sempre.

Palavra da autora

SUMÁRIO

Agradecimentos.. 9

Depoimentos... 11

Prefácio... 17

Introdução
    Bíbliacompatível.. 23

Capítulo Um
    Flecha pronta não dá em árvore................................. 29

Capítulo Dois
    Por que a Bíblia?... 39

Capítulo Três
    O propósito bíblico da maternidade............................ 49

Capítulo Quatro
    O grande alvo.. 61

Capítulo Cinco
    O potencial de uma compreensão completa............. 71

Capítulo Seis
 É só uma fase? 83

Capítulo Sete
 Limites 95

Capítulo Oito
 Fundamentos da disciplina 107

Capítulo Nove
 A prática da disciplina 121

Capítulo Dez
 Venenos contra a Criação Bíbliacompatível 149

Conclusão
 A unção de Zadoque e de Benjamim 163

Paternidade Bíbliacompatível — por Daniel Joslin
 Uma palavra para o pai 171

Referências bibliográficas 189

AGRADECIMENTOS

Este livro jamais existiria se eu não fosse alcançada primeiro. Devo toda a minha gratidão a Deus por me escolher, arrebatar meu coração e transformá-lo a cada dia. Provar da Graça e do amor de Jesus, livre de toda culpa e condenação, me dá liberdade para aplicar o amor de Deus em todas as áreas da minha vida. Tenho a total convicção de que foi Deus quem me deu cada palavra deste livro.

Agradeço aos membros da Igreja Renovo, às discipuladoras e toda a minha equipe da Renovo Kids, que é tão comprometida e apaixonada. Buscar revelação do Céu para servi-los é uma grande alegria e motivação. Sei o quanto torcem e oram por mim e por minha família. Obrigada!

Agradeço ao meu pai Zildemar e à minha mãe Sheila, que, além de me apoiarem e orarem por mim, me conduziram a Jesus ainda na infância e me educaram com uma Criação Bíbliacompatível.

Agradeço aos meus familiares que me apoiaram nesse processo de estudo e escrita de maneira tão direta e especial. Meus irmãos e cunhados, Vinícius, Sarah e Guilherme, Melina e Pedro, meus sogros, Antônio e Marly, que tanto amo, minha querida tia Guiomar, Lucas e tia Maria. Obrigada por tantas e tantas vezes estarem com as crianças para que eu pudesse desenvolver este livro e muitos outros projetos.

Karine, mesmo você não estando mais aqui, sempre me incentivou a escrever e quantas vezes esteve com as crianças para que eu pudesse estudar e me aperfeiçoar. Você sempre torceu por mim e se alegrou com minhas conquistas. Não poderia deixar de homenageá-la e registrar a minha gratidão. Eu te amo para sempre!

Agradeço aos meus pastores, Pr. Hermes Pereira e Pra. Diana, Pr. Aluízio Silva e Pra. Márcia por me ensinarem tanto. Quanto alimento fresco recebi por meio de vocês! É precioso desfrutar dessa unção que recebemos por estarmos alinhados à Vinha.

Agradeço ao meu avô, Joel Ribeiro de Camargo, de quem herdei a paixão pela escrita. O senhor é minha grande inspiração para escrever.

Agradeço a cada amiga que inspira, motiva, acredita no meu ministério e valoriza o meu trabalho. Também a cada aluna da Escola Maternidade com Graça, que tem me levado a continuar me aperfeiçoando em Deus para equipá-las e muni-las com o melhor de Deus.

Querida Lu, obrigada por tornar os meus dias mais fáceis para que eu pudesse escrever.

Evandro e Hariany, obrigada por tanto apoio, serviço e carinho. Vocês fazem toda a diferença no meu ministério.

Pati, prima, obrigada por ser presente mesmo distante. Obrigada por me ajudar com tantos detalhes. Tios e primos, obrigada por torcerem por mim, me amarem e me incentivarem sempre.

Paulo, obrigada pelo trabalho impecável que fez na nossa capa, por toda paciência e sugestões.

Daniel, meu amor. Obrigada pela sua paciência, encorajamento e amor. Obrigada por cuidar tão bem de mim e da nossa família, suprindo-nos em tudo que precisamos. Nós amamos você!

DEPOIMENTOS

❝Para mim é uma honra conhecer a pastora Tati. Deus a levantou como uma bússola necessária, que inclina para o caminho correto, para essa geração e para as próximas. Eu digo que ela está construindo um legado. Este livro é como um manual para nós, mães, que desejamos viver uma maternidade bíblica. Eu tenho certeza de que muitos lares serão alcançados, alinhados e restaurados a partir dessa ferramenta. Este livro impactará sua família, conectando o coração das mães com os filhos. A prática dos ensinos ministrados pela autora transformará os corações. Eu realmente indico! Que honra a minha viver no tempo em que esses alicerces ainda estão sendo levantados. Que sejam espalhados pelos quatro cantos da terra!❞

Mowana Débora – escritora e pastora da Igreja Trinity | @mowanadebora

❝Diante de tantos métodos de educação de filhos que contemplam princípios incompatíveis com as verdades da Bíblia, o livro da pastora Tati Joslin deveria ser item obrigatório na estante de toda mãe cristã que deseja criar filhos para a honra e a glória de Deus.❞

Raquel Terra – autora dos livros Até as mães são humanas e Quem inventou o amor?, mãe da Rebeca (7 anos) | @raquelterraescritora

❝Que alegria a minha ler este livro! Poder ver a maternidade à luz da Bíblia, apresentada de maneira tão profunda e ao mesmo tempo tão simples. Quantos ensinamentos eu recebi em cada capítulo! Eu creio que este livro, através do poder do Espírito Santo, transformará não só a sua maternidade, mas também a sua família.❞

Aline Vicente – escritora e mãe da Laura (7 anos) e da Sarah (5 anos) | @aline.mvicente

❝O livro que tira você do automático! Necessário e indispensável para essa geração de mães que é excessivamente inundada por informações, métodos e abordagens que se distanciam cada dia mais dos princípios imutáveis da Palavra. O livro que, sem sombra de dúvidas, marcará sua maternidade.❞

Wilzy Adorno – pastora do ministério de crianças da Igreja Batista Atitude | @pra.wilzyadorno

❝Este livro mudará a sua visão em relação à educação de filhos a partir da Palavra de Deus, assim como mudou a minha! Minhas dúvidas, as quais são comuns a todas as mães, foram respondidas à medida que eu li os capítulos, fazendo-me olhar para minha filha e para mim mesma da maneira que Deus nos vê. Em cada parágrafo, Deus nos mostra que educar nossos filhos com um ensino compatível com a Bíblia vai muito além de obter resultados morais imediatos, mas também resultados espirituais com um peso eterno, cujo objetivo principal é conduzi-los para Cristo.❞

Janaína Xavier – mãe da Clarissa (4 anos)

"Este é um livro para mamães em todos os aspectos, porque é uma leitura fluida e prazerosa que será um momento de refrigério e descanso em meio ao agito da sua maternidade. Ele retrata o seu dia a dia em muitos aspectos. Você certamente se identificará em muitos deles. Sem desprezar qualquer construção científica, este livro exalta a Bíblia como a firme verdade na qual podemos construir a educação dos nossos filhos de maneira amorosa e segura!"

Melina Marochi – pastora e mãe do Peterson (3 anos) e da Pietra (10 meses)

"Estou vivendo uma fase única e sublime na vida de uma mulher: a gestação! Posso dizer que, nesse tempo, por diversas vezes, fui "bombardeada" com ideias pessimistas e equivocadas sobre a maternidade. O livro da Pastora Tati Joslin veio na contramão dessa tendência. Ao concluir a leitura, a poucos dias da chegada dos gêmeos, sinto-me fortalecida, ungida e pronta para viver o lindo propósito de ser mãe, segundo o coração de Deus e a visão bíblica!"

Luana Scorsin – gestante do Ben e da Nina

"O ministério de Tati Joslin tem sido uma bênção nas redes sociais! Neste livro, ela ensina com uma linguagem direta e clara, convidando todas as leitoras a uma maternidade à luz da Bíblia, em oposição à cultura secular. A Palavra de Deus é uma arma eficaz, libertadora e nosso verdadeiro manual de vida! Que o Senhor continue guiando o nosso coração nessa jornada!"

Cassiana M. Tardivo – psicóloga, autora | @mamaeeducadora

"Estava ansiosa por este livro, pois já fui edificada demais pelo curso Maternidade com Graça e já imaginava que o livro

seria demais, mas foi além do que imaginava; fiz a leitura de oito capítulos em um dia, pois não conseguia parar de ler. Quanta sabedoria em cada palavra! A leitura deste livro edificou muito a minha vida e me levou a entender muitos princípios fundamentais na educação de filhos. Valeu cada minuto essa leitura!"

Sanimere Rogoski – mãe da Gabrielly (12 anos) e da Millena (10 anos)

"Essa leitura me fez refletir e repensar sobre a criação dos meus filhos. Com uma linguagem acessível e clara, o livro veio confirmar em meu coração que é preciso, sim, educar e disciplinar nossos filhos, mas para que esses ensinamentos permaneçam devem estar baseados na sabedoria de Deus. Desejo que outras mães sejam edificadas por meio dele, assim como eu fui."

Mariane – mãe do Danilo (7 anos) e Aliane (18 anos)

"Que livro poderoso! A maternidade se tornou muito mais leve desde o momento em que comecei a escola "Maternidade com Graça", da Pra. Tati Joslin. Este livro veio para somar com toda aprendizagem. Uma leitura prazerosa; parece que a autora está do seu lado, conversando pessoalmente com você. Por meio de exemplos reais, extraí revelações poderosas!"

Sarah de Camargo Wenceslau – mamãe do Isaque (9 meses)

"Neste livro, Tati conta um pouco de sua experiência com Deus na busca de ser uma mãe segundo o seu coração, mostrando-nos que tudo de que precisamos está na Bíblia. Criamos nossos filhos para a eternidade, e essa eternidade construímos aqui na Terra, ao sentar, ao falar, ao levantar, ao deitar (parafraseando Deuteronômio 6.6). O que você lerá nestas próximas páginas é a expressão do amor de Deus para todas as mães. Você foi escolhida para ser a mãe do seu filho, e ele lhe dá tudo de que você precisa. Tati tem esse vislumbre e discernimento para compartilhar comigo e com você. Obrigada por não reter nada!"

Barbara Costa | @filhosedesafiosdoministerio

"Que obra fantástica! Com uma linguagem fácil e assertiva, por meio de exemplos práticos, a autora Tati traz à tona angústias de toda e qualquer mãe, mas de maneira original e única, pois embasa toda a narrativa na Palavra do Senhor: a Bíblia! Do início ao fim, podemos sentir a presença de Deus inspirando e o Espírito Santo guiando os ensinamentos trazidos! Tanto o livro como o seu curso transformaram minha vida e aperfeiçoaram a minha visão bíblica sobre a maternidade! Leitura indispensável para mães que, assim como eu, anseiam por um novo nascimento para seus filhos, conduzindo-os até Jesus Cristo!"

Cynthia Sá Sposito – mãe da Gia (2 anos) e da Maya (3 anos)

"Este é um livro para ler com a alma e convidar o Espírito Santo para ler com a gente. Este é um chamado para nós, que somos filhas, para que possamos trilhar o caminho de revelação sobre o que Deus espera para a criação daqueles que ele nos confiou e desfrutar com sabedoria o nosso legado."

Mey Figueiredo – mãe da Marina (9 anos) e do Pedro (13 anos) | @blogdamaemoderna

"A Pra. Tatiane Joslin aborda temas de extrema importância com muita clareza e leveza. Um livro necessário para todas as

mães que desejam aprender ferramentas que venham a ajudá-las na condução bíblica da educação e formação de suas heranças mais preciosas: seus filhos. **"**

Camila Machuca – psicóloga infanto-juvenil
@camilamachucapsi

"Concluo a leitura deste livro sobre maternidade impactada por uma unção capaz de quebrar o jugo. Um texto que dilui a angústia da confusão e desfaz o peso da incerteza na vida de uma mãe cristã. Com a precisão de uma cirurgiã, a autora disseca e costura palavras ao tecer um caminho assertivo, autoral e bíblico para nos garantir que "a Bíblia tem o que você precisa" para exercer o chamado como mãe. Sob a "unção de Zadoque", que paira sobre a vida de Tati Joslin, ela recebe graça para separar o santo do profano e fazer deste livro um instrumento fundamental na orientação a "mães espirituais". Que a "unção de Benjamim" nos alcance para que tenhamos destreza como mães guerreiras na preparação de nossos filhos para acertarem o alvo suficiente que é Jesus. **"**

Flávia Luz Vaz – psicóloga | @flavialuzvazoficial

PREFÁCIO

> *Aquele que teme o Senhor possui uma fortaleza segura, refúgio para os seus filhos.*
> **Provérbios 14.26**

Maternidade Bíblica implica ser conduzida por Deus. A mãe à maneira de Deus anda por fé, e não por vista. Não faz o que quer, mas se guia pelos princípios da Palavra de Deus. Ela busca, renuncia, aprende, é lapidada, cresce, planta e colhe no seio da sua família antes de qualquer outra coisa. Porque sua identidade está firmada na Cruz do Calvário, e não nos conceitos do mundo.

Muitos estão atrás de fórmulas mágicas para criarem filhos bem-sucedidos, para terem êxito nessa missão chamada "mãe". Se você está à procura dessa fórmula instantânea, quero informá-la que este livro fala de outra coisa, é uma proposta totalmente diferente; nela, você serve para ser maior, você dá para receber, você desce para subir, perde para ganhar, aprende para ensinar e ensina enquanto aprende. Porque, afinal, como a querida Tati afirma com propriedade: "Maternidade não tem a ver com posição, mas com propósito".

Paulo escreveu numa de suas cartas: "Como prisioneiro no Senhor, rogo-lhes que vivam de maneira digna da vocação que receberam" (Efésios 4.1). A Tati consegue ensinar, de maneira leve e sem condenação, cada mãe a viver a vocação sem culpa, sem medo, mas dependendo do Senhor e sendo guiada por sua Palavra. Olhando para os filhos da maneira como a Bíblia ensina e discernindo de forma prática o comportamento dos filhos, sem entrar numa "neura" de expectativas elevadas.

Em tempos em que a maternidade é malvista, temida e vista de maneira natural, Deus levanta mulheres revestidas de poder e autoridade para trazer revelação da importância dessa missão tão grandiosa.

Louvo a Deus por ver como o próprio Senhor tem promovido a Tati para ensinar incansavelmente que é possível e necessário, sim, viver uma maternidade bíblica. Pessoalmente, creio que a Bíblia é o maior tesouro da humanidade; quanto mais a estudamos e aplicamos seus princípios maravilhosos, mais a nossa vida é transformada e automaticamente a vida dos que estão ao nosso redor também.

Eu convido você a abrir sua visão para a bênção que lhe está preparada. Há uma decisão que depende de você e que implica uma vida nova, padrões elevados, resultados conquistados em oração, em intimidade com Deus, em renúncia pessoal, em aprofundamento na Palavra.

Você pode escolher ser mais uma mãe neste mundo, segundo os valores dele, ou viver para o louvor do Senhor, vivendo segundo seus princípios e então experimentar uma vida abundante. O fato de você ter em suas mãos este livro me diz que você deseja viver por esses princípios e experimentar essa vida abundante que Deus prometeu para nós.

É tempo de nos levantarmos de forma digna do chamado celestial em nossa vida, para que cumpramos fielmente a vocação neste tempo de maravilhosas oportunidades. Receba por meio desta leitura a bênção da autora sobre sua maternidade.

Boa leitura! Minha oração por você hoje é a mesma de Paulo pela igreja de Éfeso:

> Peço que o Deus de nosso Senhor Jesus Cristo, o glorioso Pai, lhes dê espírito de sabedoria e de revelação, no pleno conhecimento dele. Oro também para que os olhos do coração de vocês sejam iluminados, a fim de que vocês conheçam a esperança para a qual ele os chamou, as riquezas da gloriosa herança dele nos santos e a incomparável grandeza do seu poder para conosco, os que cremos, conforme a atuação da sua poderosa força.
> **Efésios 1.17-19**

Diana Cortazio
Pastora da Igreja Videira São Paulo

INTRODUÇÃO

CRIAÇÃO BÍBLIACOMPATÍVEL

Não importa o quanto a gente estude, leia e busque aprender, nunca estaremos completamente preparadas para viver a maternidade. E isso por um simples e lindo motivo: a maternidade não é uma experiência única e replicável; trata-se de um ser humano único gerando outro ser humano único; assim é na educação aplicada entre um ser humano único com o outro.

No entanto, isso não significa que não há nada que possa ser aprendido e aperfeiçoado. Isso também não significa que nunca ninguém poderá nos ajudar. Educar filhos é a missão mais importante da nossa vida.

Eu gosto da definição de maternidade de John Piper: "Maternidade é uma transmissão de vida-para-vida de uma visão centrada em Deus, tendo Cristo como tesouro". Que preciosidade! Nós cristãos não podemos olhar para a maternidade apenas como uma função e capacidade de procriar, mas com esse propósito incrível de transmitir vida!

É lindo, porém também é desafiador, eu sei. Entretanto, como é bom saber que, de alguma maneira, podemos nos aprimorar nisso.

Quando eu me tornei mãe, eu já exercia meu ministério como pastora de crianças na minha igreja local e eu sabia que estava começando uma grande aventura. Uma aventura muito desejada, por sinal. Eu nunca fui aquela menina que sonhava em ser mãe. Casei-me com 21 anos e o que eu queria era aproveitar a vida de casada. Contudo, quando decidi engravidar, deparei-me com a infertilidade. Nesse tempo, eu descobri que eu desejava ser mãe muito mais do que eu imaginava. E quando minha filha nasceu, eu descobri o tanto que eu era apaixonada por essa missão.

Sempre enxerguei minha filha como um presente, e não teve um dia sequer da minha vida que eu tenha questionado se aquilo era para mim. No entanto, houve dias em que eu chorei. Chorei de cansaço, chorei frustrada, chorei porque eu não tinha o controle. Até que um dia eu percebi que por essas coisas eu poderia chorar, mas por um único motivo não: eu não poderia chorar por não saber o meu propósito e meu grande alvo com meus filhos. Eu precisaria ter segurança quanto ao que eu precisava fazer, onde e como eu gostaria de conduzi-los.

Hoje temos uma enxurrada de informações sobre educação de filhos; nunca houve tanto conteúdo relacionado a isso. Mas também nunca vimos tantas mães cristãs se esquecendo do quanto a Bíblia é suficiente para nos instruir, capacitar e nortear nessa missão tão desafiadora. Comecei a mentorear mães cristãs justamente porque eu via o quanto isso era real. Eu me alegro em ver que Deus está resgatando uma geração de mães que decidem crer que a Bíblia é poderosa para nos instruir em tudo, até mesmo na educação dos nossos filhos.

D. L. Moody, o maior evangelista do século 19, disse que a Bíblia não nos foi dada para aumentar o nosso conhecimento, mas para mudar a nossa vida. Essa é uma verdade absolutamente importante. Não podemos tomar a Bíblia apenas para extrair o que nos convém, nos inspirar e embasar as nossas ideias. Precisamos tomá-la como a palavra de Deus liberada a nós. Ela não é apenas uma fonte de inspiração, ela é um agente de transformação e vida. Eu ouso crer, e é essa é a mensagem pela qual tenho dedicado meus dias, que a Bíblia é poderosa até para transformar o relacionamento com nossos filhos e a nossa maternidade. Se o estilo de educação de filhos ao qual você adere com seu filho é o mesmo que é aderido por um não cristão, não é um estilo de educação de filhos que Deus deseja para você.

> Toda Escritura divinamente inspirada é proveitosa para ensinar, para redarguir, para corrigir, para instruir em justiça, para que o homem de Deus seja perfeito e perfeitamente instruído para toda boa obra.
> **2 Timóteo 3.16,17 – ARC**

"Para toda boa obra", uau! "Para toda boa obra" envolve o desafio mais importante da nossa vida. Como é um alívio saber que a Bíblia nos instrui nisso também. Neste livro, quero levar você a perceber que a Bíblia nos instrui de Gênesis a Apocalipse sobre educação de filhos. Não tenha medo de crer nessa verdade; não tenha medo de ser insuficiente. Permanecer na Bíblia é o lugar mais seguro em que você pode estar. Vemos uma geração que se respalda em tantas técnicas humanas — disciplina A, teoria B, método C —, mas esteja segura de algo: o que você faz precisa apenas ser compatível com o que a Bíblia nos ensina; é por isso que falaremos sobre uma CRIAÇÃO BÍBLIACOMPATÍVEL.

"

SE O ESTILO DE EDUCAÇÃO DE FILHOS AO QUAL VOCÊ ADERE COM SEU FILHO É O MESMO QUE É ADERIDO POR UM NÃO CRISTÃO, NÃO É UM ESTILO DE EDUCAÇÃO DE FILHOS QUE DEUS DESEJA PARA VOCÊ.

"

CAPÍTULO UM

FLECHA PRONTA NÃO DÁ EM ÁRVORE

> Eis que os filhos são herança do Senhor, e o fruto do ventre, o seu galardão. Como flechas na mão do valente, assim são os filhos da mocidade. Bem-aventurado o homem que enche deles a sua aljava; não serão confundidos, quando falarem com os seus inimigos à porta.
> **Salmos 127.3-5 – ARC**

Se você já leu outro livro para mães cristãs, certamente você já ouviu algo sobre esses versículos. Se você nasceu em um lar cristão, também cresceu escutando que filhos são *heranças, galardão e flechas!*

Essas são três analogias incríveis em um salmo muito especial. Eu creio que nada está na Bíblia por acaso. Cada um desses símbolos está cheio de significado e propósito.

O salmo começa falando sobre a necessidade que temos de depender do Senhor. E continua, no capítulo seguinte, dizendo sobre o homem que teme ao Senhor e anda nos seus caminhos.

> Se o Senhor não edificar a casa, em vão trabalham os que a edificam. Se o Senhor não guardar a cidade, em vão vigia a sentinela. Será inútil levantar de madrugada,

> *dormir tarde, comer o pão que conseguiram com tanto esforço; aos seus amados ele o dá enquanto dormem.*
> **Salmos 127.1,2**

> *Bem-aventurado aquele que teme o Senhor e anda nos seus caminhos! Você comerá do fruto do seu trabalho, será feliz, e tudo irá bem com você. Sua esposa, no interior de sua casa, será como a videira frutífera; seus filhos serão como rebentos da oliveira ao redor da sua mesa. Eis como será abençoado o homem que teme o Senhor!*
> **Salmos 128.1-4 – NAA**

A verdade é que não existe coincidência em todos esses textos juntos; tudo está conectado. O homem que teme ao Senhor sabe receber os filhos como herança, mas também sabe depender de Deus no trabalho que terá pela frente.

HERANÇA

Uma herança não é algo que geramos com o nosso próprio mérito. O herdeiro recebe a herança mesmo sem ter lutado por ela. É Deus quem gera a vida dos nossos filhos.

Parafraseando o texto que já lemos, se o Senhor não gerar vida no ventre de uma mulher, *em vão será colocar o espermatozoide dentro do óvulo*. Precisamos sempre nos lembrar de que foi Deus quem nos fez mães.

> *E formou o Senhor Deus o homem do pó da terra, e soprou em suas narinas o fôlego da vida; e o homem foi feito alma vivente.*
> **Gênesis 2.7 – ACF**

Muitas mulheres tentam todas as técnicas e procedimentos humanos para engravidar e não conseguem. O óvulo foi fecundado pelo espermatozoide, a parede uterina está perfeitamente preparada, os hormônios estão ajustados, mas a vida simplesmente não é gerada. Por quê? Porque gerar vida não é uma obra humana. Os cientistas podem reproduzir toda a fisiologia envolvida no desenvolvimento humano, mas nunca conseguiram, nem conseguirão, gerar a vida. O fôlego de vida é soprado unicamente pelo nosso Deus criador. Vale lembrar que ele criou todas as coisas com a sua Palavra, mas o homem ele fez questão de colocar a mão na massa! Deus tem prazer em gerar vida!

> Pois tu formaste o meu interior,
> tu me teceste no seio de minha mãe.
> Graças te dou, visto que por modo assombrosamente
> maravilhoso me formaste;
> as tuas obras são admiráveis,
> e a minha alma o sabe muito bem;
> os meus ossos não te foram encobertos,
> quando no oculto
> fui formado e entretecido como nas profundezas da terra.
> Os teus olhos me viram a substância ainda informe,
> e no teu livro foram escritos todos os meus dias,
> cada um deles escrito e determinado,
> quando nem um deles havia ainda.
> **Salmos 139.13-16 – ARA**

Quando seu filho ainda era uma substância informe, Deus estava levantando você para ser "A mãe"! Foi ele quem a fez mãe! Ele a colocou nessa posição, ele a colocou nessa missão! Nunca pense que o fato de você ser mãe foi um erro ou um grande acidente.

Agora, pense comigo: mesmo sem ter a mínima responsabilidade sobre o valor agregado a uma herança, o herdeiro que a recebe precisa decidir o que fará com ela. Você, mãe, precisa decidir o que vai fazer com a herança mais valiosa que Deus lhe deu. É por isso que a analogia da herança não vem sozinha; o Senhor nos lembra de que nossos filhos também são flechas.

Um guerreiro precisa saber aperfeiçoar e manusear as suas flechas, e esse é um dos nossos grandes desafios.

FLECHAS

Filhos são como flechas nas mãos do guerreiro. As flechas de um guerreiro chegam aonde ele não pode chegar. Ela era a principal arma de guerra contra um inimigo. Que presente valioso recebemos quando geramos um filho! Geramos a continuidade do nosso trabalho, a oportunidade de ir mais longe e um novo fôlego para lutar por nossos ideais e valores.

Realmente, a flecha é um símbolo muito propício para definir os filhos.

Mas, quando os filhos começam a deixar de serem bebês, percebemos algo: as flechas lindinhas e fofinhas precisam ser lapidadas para atingir o alvo; não é algo automático. E vemos muitos guerreiros se desgastando emocionalmente porque não perceberam que precisavam lapidar a flecha. Temos a ilusão de que tudo vai ser fácil, intuitivo e automático, mas nem sempre será assim. Muitas vezes, teremos pequenos empenhos, mas necessários, para ensinar sobre coisas muito profundas. Outras vezes, teremos grandes empenhos para ensinar coisas muito simples (como precisei hoje mesmo explicar para meu filho de dois anos que ele não podia comer a pasta de dente).

É um processo árduo e dinâmico; todos os dias teremos um novo desafio. Isso, porque nossos filhos continuam sendo gerados depois que eles nascem. É por isso que precisamos parar e refletir que uma flecha pronta não dá em árvore. A madeira bruta precisa ser cortada da árvore que foi gerada, o pedaço de pau precisa ser lapidado para seu propósito. Se a flecha não for bem lapidada e preparada, certamente causará danos e decepções em vez de atingir o seu alvo. Aqui preciso mostrar algo que consolida toda essa ideia. A Bíblia revela um grande chamado aos pais em Deuteronômio capítulo 6:

> Amarás, pois, o Senhor, teu Deus, de todo o teu coração, de toda a tua alma e de toda a tua força. Estas palavras que, hoje, te ordeno estarão no teu coração; tu as inculcarás a teus filhos, e delas falarás assentado em tua casa, e andando pelo caminho, e ao deitar-te, e ao levantar-te.
> **Deuteronômio 6.6,7 – ARA**

Em Mateus, quando um doutor da lei interrogou Jesus sobre o mandamento mais importante, ele falou sobre o grande e primeiro mandamento:

> Mestre, qual é o grande mandamento na Lei? Respondeu-lhe Jesus: Amarás o Senhor, teu Deus, de todo o teu coração, de toda a tua alma e de todo o teu entendimento. Este é o grande e primeiro mandamento.
> **Mateus 22.36-38 – ARA**

Que especial! O maior mandamento é justamente o que Deus ensina seu povo a transmitir aos seus filhos com insistência. Em casa, no carro, indo para a escola, antes de dormir ou ao acordar. Isso nos mostra o quanto Deus se preocupa com as crianças e com a transmissão de um legado para as próximas gerações.

Porém, o detalhe curioso e que conecta com o que estamos falando neste momento é que existe uma ênfase no estilo do ensino desse mandamento: ele não deveria ser apenas falado ou citado, entretanto deveria ser "inculcado" aos filhos. A palavra "inculcar" no original hebraico é *sanan*, que no sentido figurado significa ensinar incisivamente. Mas adivinha qual é o sentido literal de *sanan*? Significa justamente "afiar uma arma de corte".

Uau! Encontramos nesse texto a própria ideia de que, na medida que o mandamento mais importante for ensinado, os nossos filhos serão afiados. Não é uma ordem que cumprimos de forma única e definitiva. É um processo que envolve repetição, persistência, dedicação e perseverança. Mas ao longo deste livro, eu quero lhe mostrar o quanto a sua lapidação pode ser linda e recompensadora. Essa lapidação tem um potencial muito maior do que imaginamos. Por isso, a terceira analogia é igualmente importante: um filho é um galardão.

GALARDÃO

A Bíblia diz que o fruto do ventre é seu galardão. No original, a palavra fruto é "produto", ou seja, o que foi gerado no seu ventre é seu galardão.

Galardão é uma maravilhosa recompensa que o Senhor promete para os seus filhos. No original, a palavra é *sakar*. Sim, foi daí que surgiu a expressão sacar o dinheiro do banco, e essa palavra expressa um salário, um pagamento, algo bom que recebemos como benefício. Um galardão é um benefício.

Vivemos em uma cultura em que a maternidade está cada dia mais desprezível e dispensável. Hoje mesmo me deparei com uma reportagem exaltando as mulheres que decidem "ficar para titias", literalmente. A reportagem dizia o quanto essas mulheres eram inteligentes e focadas, o quanto elas eram felizes e seguras por serem independentes e livres. Na mentalidade deste mundo, a maternidade não é um benefício, mas um malefício. Mulheres que são mães carregam um fardo, quase que um castigo, uma ideia totalmente diabólica.

Vejo que, muitas vezes, a frustração das mães se dá justamente pelo fato de elas terem expectativas erradas das crianças. Quantas mães se sentem fracassadas diante de um mau comportamento dos seus filhos, ou com o acúmulo dos pequenos desafios que enfrentamos todos os dias? Muitas mães acabam se desencorajando porque realmente queriam "parir" uma flecha pronta e lapidada.

Portanto, desejo profundamente encorajar você hoje: não pense que nesse processo de lapidar seu filho você estará sozinha. Você é a guerreira que estará preparando essa flecha para lançá-la, mas Jesus é um carpinteiro muito experiente e, se você permitir, estará à frente desse trabalho.

Mude sua mentalidade; não iguale o seu pensamento ao que o mundo diz. O mundo diz que você perdeu quando se tornou mãe, o Diabo quer fazer você acreditar que você perdeu sua vida, sua liberdade, suas noites de sono, às vezes, até a sua beleza e saúde. Porém, renove a sua mente lembrando que você não perdeu quando se tornou mãe, você ganhou. Você ganhou uma flecha, uma herança e um galardão!

Na Criação Bíbliacompatível, buscamos olhar os filhos e a família com o mesmo olhar do Senhor, sabendo que mesmo que tenhamos um trabalho árduo, existe muitíssimo valor e grande recompensa na maternidade.

> "Você é a guerreira que estará preparando essa flecha para lançá-la. Mas Jesus é um carpinteiro muito experiente e, se você permitir, estará à frente desse trabalho."

CAPÍTULO DOIS

POR QUE A BÍBLIA?

Sempre fui fascinada pela Bíblia. Desde criança, eu ouvia meu pai compartilhando comigo as histórias e verdades de maneira tão envolvente e intrigante, que aos 12 anos eu decidi que leria a Bíblia inteira pela primeira vez, e assim eu fiz.

Lembro-me dos meus amigos na escola me perguntando sobre como eu tinha tanta certeza de que a Bíblia era verdadeira, e me recordo da resposta, que para mim parecia tão lógica: "Leia, viva o que ela diz e veja você mesmo". Sempre tive a Bíblia como meu principal manual para todas as minhas decisões em todas as fases da minha vida!

Quando eu me tornei mãe, eu comecei a ler muitos livros e a estudar muito sobre o comportamento das crianças, principalmente quando eu me deparei com a primeira birra da minha filha. Eu estava em uma viagem na Flórida e confesso que nem esperei retornar ao Brasil para começar as minhas leituras, fui logo comprando livros digitais e lendo pelo meu celular. Eu vou lhe contar sobre esse episódio em outro capítulo. Se você é mãe de uma criança de dois anos, com certeza vai se identificar comigo nessa história.

Eu comprei seis livros sobre educação de filhos de uma única vez, porque eu sou dessas (risos). Quanto mais eu pesquisava, mas eu via o quanto esse era um universo muito explorado, cheio de métodos e teorias, e confesso que fui me encantando com muitos ensinos que pareciam fantásticos. Entretanto, algo incomodava meu coração: tudo parecia perfeito para minha maternidade, mas nem tudo era compatível com a direção na qual eu queria conduzir os meus filhos.

Por falar em compatível, conheci muitos universos nesse tempo: criação neurocompatível, criação com apego, disciplina positiva, educação respeitosa. Porém, quanto mais estudava, mais Deus sussurrava em meu coração: "A Bíblia tem o que você precisa". Eu não quero desprezar todos os ensinos que a neurociência nos traz (eu mesma neste momento estudo sobre neurociência, educação e desenvolvimento infantil em uma renomada universidade do nosso país). Não quero invalidar o que os psicólogos têm a dizer, eu apenas decidi crer que o ensino que a Bíblia nos traz está além; não se trata de algo natural, mas espiritual.

> As quais também falamos, não com palavras de sabedoria humana, mas com as que o Espírito Santo ensina, comparando as coisas espirituais com as espirituais. Ora, o homem natural não compreende as coisas do Espírito de Deus, porque lhe parecem loucura; e não pode entendê-las, porque elas se discernem espiritualmente.
> **1 Coríntios 2.13,14 – ACF**

Se temos o Espírito, precisamos ter o olhar espiritual sobre as coisas.

Temos a tendência de setorizar todas as áreas da nossa vida. Vida familiar, vida profissional, vida espiritual, vida conjugal, etc. Mas a grande questão é que não é assim que funcionamos, aliás, nós não funcionamos, nós vivemos. E o tempo todo estamos tomando decisões que afetam o mundo espiritual. O tempo todo estamos vivendo e caminhando para cumprir o propósito que Deus estabeleceu para nós. E precisamos discernir as coisas espiritualmente.

Discernindo espiritualmente tudo que estudei sobre educação de filhos, avaliei e concluí uma coisa: precisava exercer uma educação de filhos compatível com o que a Bíblia diz, ou seja, Bíbliacompatível. Não podia me apropriar de um método incrivelmente lindo se não tem o mesmo alvo e visão que Deus comunica em sua Palavra. Não é uma opção trazer algo para minha vida que seja separado dos princípios e valores que eu decidi incluir na minha família.

> *Você quer ouvir Deus? Leia a Bíblia! Você quer ouvir Deus audivelmente? Leia a Bíblia em voz alta!*
>
> **John Piper**

CRENDO QUE ELA É REAL

> *Toda a Escritura é divinamente inspirada, e proveitosa para ensinar, para redarguir, para corrigir, para instruir em justiça; para que o homem de Deus seja perfeito, e perfeitamente instruído para toda a boa obra.*
>
> **2 Timóteo 3.16,17 – ARC**

A Bíblia nos diz que ela própria é inspirada por Deus, proveitosa para nos instruir, corrigir e ensinar. Também nos fala que é perfeita para nos instruir em TODA BOA OBRA, ou seja, até na criação dos nossos filhos. Mas quero levar você a um novo nível de fé em relação à Palavra de Deus, trazendo um estudo incrivelmente conclusivo sobre isso.

Um cientista matemático chamado Peter Stoner fez um estudo sobre a veracidade da Bíblia e publicou em seu livro *Science Speaks* (A ciência fala). Ele pesquisou sobre a probabilidade de um homem comum cumprir as profecias ditas no Antigo Testamento sobre o Messias. Ele foi fazendo um estudo matemático das probabilidades. Por exemplo, existia uma profecia de que o Messias nasceria em Belém e outra profecia de que ele teria seus pés e mãos transpassados. Qual seria a probabilidade de um homem naquela época nascer em Belém? Qual seria a probabilidade de um homem ter seus pés e mãos transpassados? E a probabilidade de um homem nascer em Belém e ter os pés e mãos transpassados? Foram exatamente esses cálculos que ele realizou no estudo.

Existem 300 profecias sobre o Messias na Bíblia, mas Peter avaliou apenas oito delas. Na verdade, para ser mais conservador possível nas suas conclusões, Peter estendeu a pesquisa para mais de 600 alunos, estudantes universitários de diferentes classes (mais de 12 classes universitárias).

Depois de calcular todas as probabilidades, o matemático concluiu, em comum acordo com toda sua enorme equipe, que a chance de algum homem ter vivido até o presente e ter cumprido todas as oito profecias é de um em 10^{17}. Isto é, um em 100.000.000.000.000.000 (conte 17 zeros; lemos cem quatrilhões; eu nem sabia como pronunciar isso).

Para ajudar você a compreender o que significa essa probabilidade, Peter faz uma ilustração fantástica. Ele nos diz que é como se nós pegássemos 10^{17} moedas de um dólar e colocássemos sobre o estado do Texas. Teríamos uma camada de 60 centímetros de espessura cobrindo todo o estado. Para que você tenha uma dimensão do que seria isso, seria mais ou menos uma piscina de moedas de 60 centímetros de profundidade em todo o território inteiro de Minas Gerais e avançando em um pedacinho do estado do Espírito Santo. Agora faríamos uma marca em uma única dessas moedas e misturaríamos bem com todas as demais moedas que estão sobre o estado. Então, colocaríamos uma venda em um homem e pediríamos para ele ir aonde ele quisesse, mas ele teria de pegar a moeda marcada na sua primeira tentativa.

Qual seria a chance de esse homem pegar um avião, sobrevoar o estado de Minas Gerais, pular de paraquedas e pegar exatamente a moeda marcada? Essa seria a mesma chance de os profetas terem escrito as profecias e ver oito delas sendo cumpridas em qualquer época por um homem comum. Mas é assustadoramente incrível ver que todas elas, não apenas oito, mas as 300, foram cumpridas em Cristo. A Bíblia foi escrita por pessoas completamente diferentes, em épocas diferentes, lugares diferentes, em três línguas diferentes. Mas, absolutamente, tudo se conecta. Ela é um livro impossível de ser idealizado por uma mente humana.

CRENDO QUE ELA É PODEROSA

Já lemos o texto de 2 Timóteo 3.16,17, onde vimos que toda a Bíblia é proveitosa para nos aperfeiçoar e ensinar. Mas existe algo muito especial ali. O versículo anterior fala justamente sobre o poder das Escrituras em tornar a criança pequena uma pessoa sábia:

> E que, desde a tua meninice, sabes as sagradas letras, que podem fazer-te sábio para a salvação, pela fé que há em Cristo Jesus.
>
> **2 Timóteo 3.15 – ARC**

Aqui Timóteo é elogiado por sua sabedoria e sua fé, e o Espírito Santo relaciona isso justamente à sua educação conectada às Escrituras. Que porção especial para nós! O texto bíblico que mais exalta a capacidade instrutora e preparadora da Palavra de Deus está diretamente relacionado à educação de filhos! Ela é poderosa para capacitar os pais no mesmo instante em que aperfeiçoa os filhos.

> Pois a palavra de Deus é viva e eficaz, e mais afiada que qualquer espada de dois gumes; ela penetra até o ponto de dividir alma e espírito, juntas e medulas, e julga os pensamentos e as intenções do coração.
>
> **Hebreus 4.12**

A Bíblia é a espada mais afiada para lapidar nossos filhos, a fim de que sejam uma flecha a atingir seu alvo. Na educação dos nossos filhos, temos a tendência de buscar o método

A ou B. Na verdade, tudo que nos parece um bom passo ou um método prático. Mas apenas a Palavra de Deus será suficiente para penetrar a ponto de dividir alma e espírito. Falaremos sobre isso mais tarde.

CRENDO QUE ELA PERMANECE

> [...] seca-se a erva, e cai a sua flor, mas a palavra de nosso Deus permanece eternamente.
>
> **Isaías 40.8 – ARA**

Hoje temos muitas informações interessantes que podem nos auxiliar na compreensão dos nossos filhos, e falaremos sobre algumas delas. Entretanto, não podemos construir toda a lapidação das nossas flechas baseadas em verdades transitórias. Sim, a própria neurociência diz que suas verdades são transitórias, ou seja, algo pode ser completamente verdade hoje, mas amanhã um novo estudo poderá aparecer e nos trazer uma nova informação e ponto de vista.

Neste mundo, não existem verdades absolutas, mas a Bíblia é absolutamente verdadeira. O nosso Deus é imutável e a sua Palavra também. Claro que existem coisas que dependem do contexto, mas os seus valores e princípios são imutáveis.

Você quer respaldar a educação do seu filho em verdades transitórias ou na Palavra que dura para sempre?

Na Criação Bíbliacompatível, colocamos a Bíblia no centro da nossa abordagem, ensino e decisões, não apenas a consultamos como um livro com bons conselhos, mas realmente a tomamos como a poderosa palavra de Deus liberada sobre nós para nos equipar em tudo, até na criação de filhos.

VOCÊ QUER RESPALDAR A EDUCAÇÃO DO SEU FILHO EM VERDADES TRANSITÓRIAS OU NA PALAVRA QUE DURA PARA SEMPRE?

CAPÍTULO TRÊS

O PROPÓSITO BÍBLICO DA MATERNIDADE

Toda tarefa desafiadora precisa de um bom motivo para ser desenvolvida. Toda difícil missão é sustentada por uma grande motivação e desejo de conquista.

Eu me lembro do tempo em que eu estudava para passar no vestibular e ingressar na faculdade. Eu sonhava em cursar Odontologia na Universidade Estadual da minha cidade, e esse era um dos cursos mais concorridos da época. Eu sabia do quanto precisaria me dedicar e estudar, mas como eu tinha um alvo claro, foquei naquilo para que eu pudesse alcançar. Na época, eu deletei meu Orkut (você é desse tempo?), trancava-me no meu quarto oito horas por dia, estudava, estudava e estudava. Lembro-me dos meus pais batendo na porta do meu quarto e trazendo um lanchinho para eu comer, dizendo que eu precisava me alimentar. Foi um tempo desafiador, de muitas renúncias, mas eu consegui.

Hoje eu não trabalho mais no consultório odontológico, mas eu sempre me lembro desse período da minha vida quando vejo uma mãe esgotada com a maternidade. Eu realmente acredito que não existe função no mundo com mais empenho do que ser mãe. Primeiro, porque a maternidade não é algo que podemos desligar da tomada às dezoito horas e ligar novamente no outro dia, às oito da manhã. Não existem férias, feriado, e mesmo no "vale-night" a cabeça da mamãe continua funcionando. Segundo, porque na verdade ela não é uma única função, são múltiplas. Hoje mesmo, eu já fui nutricionista, cozinheira, motorista, professora e voltei a ser dentista para atender a uma "emergência odontológica" da minha filha, que cortou a boca em um acidente no "pula-pula" no colchão.

Eu sei o quanto é desafiador. Também sei que você está ansiosa para que eu fale sobre como lidar com o mau comportamento do seu filho, como resolver o problema da birra e da teimosia e, se pudesse, pularia para a página da fórmula mágica para ter filhos respeitosos e obedientes, mas para que você tenha força para educar seu filho, você precisa entender o seu propósito. Certamente, o que nos sustenta e nos faz cumprir essa missão com alegria e prazer é quando discernimos o propósito da nossa maternidade.

Por que somos mães? Qual é a nossa principal função? O que precisamos fazer? Qual é o nosso alvo? Ser mãe é apenas procriar? Eu costumo dizer que existe diferença em se tornar mãe e em continuar sendo mãe. Existem mulheres que se tornam, mas não continuam sendo. Hoje cresce uma cultura maligna que luta pela troca da palavra "pai" e "mãe" por genitores. Na verdade, isso sempre existiu: pais que deixam de ser pais e passam apenas a ser genitores. Entretanto, a cultura é maligna porque quer normatizar algo completamente fora do padrão de Deus. Deus não criou a mãe apenas para dar à luz, e, na Bíblia, existe beleza na maternidade.

Existe uma lei da Hermenêutica (que é a ciência que estuda a interpretação bíblica) que se chama Lei da Primeira Menção. É incrível estudar um assunto na Bíblia usando essa lei. Ela diz que sempre que queremos saber sobre algum assunto, devemos olhar para a primeira vez que aquilo foi mencionado na Bíblia. Ao longo das Escrituras, vemos o quanto o objeto ou conceito estudado vai carregar o forte significado e função da primeira vez que ele foi mencionado.

Vou dar um exemplo para que você entenda melhor: a primeira vez que a expressão "Palavra" foi mencionada na Bíblia, foi em Gênesis, quando Deus criou o mundo. Pela Lei da Primeira Menção, a função primária das palavras não é comunicação, mas é a criação! E ao longo da Bíblia, vemos que é exatamente isso que acontece. Deus nos ensinando que ele cria os frutos dos nossos lábios. E qual é a primeira menção de "mãe" na Bíblia? Foi quando Deus disse para Adão que ele deveria deixar seu pai e a sua mãe, unir-se com a sua mulher e se tornar uma só carne com ela. Veja você mesmo:

> *Por essa razão, o homem deixará pai e mãe e se unirá à sua mulher, e eles se tornarão uma só carne.*
> **Gênesis 2.24**

Um detalhe que me deixa muito intrigada é que Adão não tinha mãe. Na verdade, Deus estava dando um princípio para todos os homens da humanidade, visto que, naquele momento, Adão era a humanidade. Deus dá essa direção para ensinar um princípio: o homem deveria deixar seus pais, unir-se com sua mulher e se tornar uma só carne com ela. A primeira menção de "mãe" na Bíblia não coloca o foco na mãe, mas no filho. O grande propósito da maternidade é gerar filhos que possam viver o seu próprio propósito para a glória de Deus. Muitas vezes, as mães se esquecem disso. Os filhos nos deixarão, e é ótimo que isso aconteça, é assim que deve ser. Não podemos viver a nossa maternidade achando que teremos a vida toda para estar com eles e educá-los. Também não podemos achar

> NÃO PODEMOS ACHAR QUE OS FILHOS DEVEM SER EDUCADOS PARA A NOSSA SATISFAÇÃO PESSOAL.
> A BÍBLIA NÃO DIZ QUE OS FILHOS SÃO NOSSOS TROFÉUS. A BÍBLIA DIZ QUE ELES SÃO FLECHAS, HERANÇA E GALARDÃO.

que os filhos devem ser educados para a nossa satisfação pessoal. A Bíblia não diz que os filhos são nossos troféus. A Bíblia diz que eles são flechas, herança e galardão, você se lembra?

GERAR E NUTRIR

Eu gosto de refletir sobre o propósito de uma mãe observando a anatomia da mulher. As principais diferenças da mulher em relação ao homem são justamente o que a capacita para gerar e nutrir um filho.

Diferentemente do homem, mulheres têm ovários, trompas e útero. Além disso, é muito interessante avaliar o quanto a mulher é mais habilidosa para transformar matéria bruta em algo muito mais charmoso e elaborado. Vemos isso acontecendo na cozinha, quando ela pega os ingredientes e surge um bolo maravilhoso; também acontece quando ela transforma um metro de tecido em um lindo vestidinho. Claro que hoje nem todas as mulheres cozinham e costuram; também vemos homens muito habilidosos preparando pratos incríveis e roupas especiais, mas, no geral, é nítido o quanto as mulheres têm mais habilidade para criar. É exatamente o que acontece no nosso útero, em que recebemos matéria-prima para gerar um ser humano.

Também vemos na anatomia da mulher os seus seios e glândulas mamárias. Não sei qual foi a sua experiência para amamentar seu filho; talvez tenha sido algo lindo, talvez algo mais desafiador como foi para mim, ou talvez não tenha sido uma boa experiência para você, mas é inegável que Deus projetou a mulher para nutrir seus filhos. Mulheres foram formatadas para gerar e para nutrir. Creio que isso também tem um aspecto espiritual. Até porque, algumas mulheres não geraram no seu ventre, mas tiveram o grande privilégio de gerar em seu coração por meio da adoção (e tudo o que meditarmos neste livro se aplica a elas, que, de fato, também se tornaram mães). A Bíblia nos diz em 1 Timóteo 2.15 (ARA) que a mulher tem uma missão:

> Todavia, será preservada através de sua missão de mãe, se ela permanecer em fé e amor, e santificação, com bom senso.

Voltaremos nesse texto depois, mas quero aproveitar para lançar esta pergunta: que missão é essa? Às vezes, sabemos o tanto de coisas que uma mãe precisa fazer, mas se fôssemos nomear nossa missão, não saberíamos exatamente o que colocar no papel. Ao olhar para todos os versículos que a Bíblia nos traz sobre isso, concluí que, espiritualmente falando, Deus também nos levanta para gerar e nutrir.

Vemos isso claramente na vida de Joquebede. Êxodo 1 registra um tempo muito triste, quando o rei do Egito se sentia ameaçado pelo crescimento dos israelitas no meio do seu povo. Para tentar conter isso, ele ordenou que os meninos que nascessem fossem mortos. Em Êxodo 2, vemos essa mulher, chamada Joquebede, dando à luz um filho. Ela tentou esconder seu filho por três meses. Depois, quando viu que não poderia escondê-lo por mais tempo, ela preparou um cesto, impermeabilizou e colocou seu bebê à beira do rio Nilo, esperando que a filha de faraó o encontrasse durante o seu banho no rio.

Com certeza, você já identificou essa história. Joquebede era a mãe de Moisés. E vemos Deus respaldando o plano dessa mãe com todo cuidado. A irmã de Moisés ficou acompanhando o cestinho, e quando o bebê foi encontrado pela filha de faraó, sua irmã perguntou se ela queria que uma mulher hebreia fosse chamada para amamentar o menino. Foi exatamente isso que aconteceu. Joquebede teve o grande presente de receber seu filho de volta em seus braços para amamentá-lo e criá-lo.

Você é "Joquebede" na vida do seu filho. Joquebede deu à luz, você também deu à luz. Joquebede protegeu seu filho por três meses; talvez você não tenha percebido, mas você protegeu seu filho nos três primeiros meses de maneira diferente.

Existe um período que a ciência chama de "exterogestação", que é o período dos três primeiros meses do bebê. Esse período é considerado o "quarto trimestre" da gestação, agora, fora da barriga, por isso o nome "exterogestação", isto é, gestação fora do útero. Nesse período, existe uma relação muito próxima entre a mãe e seu bebê, que é completamente dependente. Não foi por acaso que Joquebede protegeu seu filho por exatos três meses.

Um dia, Joquebede percebeu que não poderia colocar seu filho em uma bolha e protegê-lo para sempre; talvez você também já tenha chegado a essa conclusão. Mas fique tranquila, eu não quero que você prepare um cesto impermeabilizado e coloque seu filho em um rio. Pelo menos, não literalmente. Porém, existe algo profético nisso que, com certeza, quero desafiar você a fazer.

Quero falar sobre duas ações. Primeiro, Joquebede colocou seu filho em um cesto. Um cesto impermeabilizado pelo mesmo material que a arca de Noé. O cesto certamente aponta para Cristo, assim como a arca. Se seu filho estiver em Cristo, não há o que temer; seu filho não se afogará com as mentiras deste mundo e chegará a seu destino em segurança. Mas a segunda coisa é que Joquebede entregou seu bebê. Ela colocou seu filho na água. Você gerou, quer proteger, mas também precisa entregar. Você não precisa entregar de qualquer maneira, mas colocá-lo no lugar certo. As águas, na Bíblia, apontam para o maravilhoso agir do Espírito Santo. Você se lembra da visão de Ezequiel 47? O profeta via as águas fluindo do templo; quanto mais ele

> "Uma mãe pode ser excelente em todas as suas facetas e habilidades, mas certamente falhará drasticamente se não gerar seu filho para o Senhor e nutri-lo espiritualmente."

entrava na água, mais difícil ficava para ele andar, até que chegou a um ponto onde ele só conseguia passar a nado.

Quanto mais crescemos em nosso relacionamento com Jesus, menos teremos controle sobre nossas decisões, e mais teremos segurança em sermos conduzidas por Deus. É exatamente nessas águas que precisamos levar nossos filhos. Mas a história não terminou aí: o filho voltou para que sua mãe pudesse amamentá-lo e criá-lo. Ela o gerou e nutriu. Seu filho, antes de ser seu, precisa ser do Senhor. É maravilhoso sabermos que ele nos dá o privilégio de nutri-los e criá-los.

Uma mãe pode ser excelente em todas as suas facetas e habilidades, mas certamente falhará drasticamente se não o gerar para o Senhor e nutri-lo espiritualmente.

NÃO CONFUNDA AS COISAS

Acho importante lembrar você de algo. Existe um lindo propósito na maternidade, mas o propósito da sua vida não se resume apenas nisso. Vemos muitas mães idolatrando seus filhos, ou até mesmo a própria maternidade. Resumem toda a existência da sua vida na dedicação aos seus filhos. Quando falo sobre isso, lembro-me de Habacuque.

> *Porque ainda que a figueira não floresça, nem haja fruto na vide; ainda que decepcione o produto da oliveira, e os campos não produzam mantimento; ainda que as ovelhas da malhada sejam arrebatadas, e nos currais não haja gado; todavia eu me alegrarei no Senhor; exultarei no Deus da minha salvação.*
> **Habacuque 3.17,18 – ACF**

Ainda que eu não fosse mãe (ou não seja, talvez ainda seja seu caso), eu me exultarei no Deus da minha salvação. Quando olhamos para a Bíblia, vemos que o grande propósito na vida de um ser humano não é fazer coisas para Deus. Talvez muitos pensem que o seu maior propósito é o seu ministério, ser uma esposa de pastor dedicada ou uma mãe exemplar que marcará a vida dos seus filhos. Tudo isso é importantíssimo, poderoso e especial. Contudo, o grande propósito de Deus é que sejamos cheias da vida dele.

*Eu vim para que tenham **vida** e a tenham em abundância.*
João 10.10 – ARA

Quando a Bíblia fala que Jesus veio para nos dar vida, fala da vida "zoe", que é a própria vida de Deus. A vida "zoe" refere-se a sua Glória e a sua presença constante em nós. Deus não nos criou com um espírito à toa. Somos um vaso criado para receber o seu conteúdo, que é o próprio Espírito Santo de Deus em nós. Gosto do grande exemplo da luva que aquece a mão em um inverno rigoroso. Não existe nenhum propósito em uma luva se ela nunca vestir uma mão. É para isso que ela foi criada. Do mesmo modo, não existe nenhum propósito em nós se não recebermos a vida de Deus primeiro.

Portanto, querida mamãe, seu lindo propósito da maternidade só será cumprido e validado quando o seu principal propósito for cumprido primeiro. Sempre deseje ser cheia da Glória de Deus. Isso é primordial e fará toda a diferença.

Na Criação Bíbliacompatível, sabemos do nosso propósito como mães e não deixamos que as setas deste mundo lançadas sobre nossa mente minimizem o nosso valor, nos distraiam e nos impeçam de cumprir o que Deus confiou nas nossas mãos.

CAPÍTULO QUATRO

O GRANDE ALVO

Você já parou para pensar sobre qual é o seu maior alvo na educação do seu filho? Vejo o quanto os pais se preocupam em ter filhos educados, gentis e generosos; às vezes, até acrescentam nessa lista o desejo de ter filhos silenciosos, maduros e imóveis (isso mesmo!), algo completamente incoerente para uma criança. Querem quase um boneco ou um robô.

É óbvio que todos nós queremos ter filhos gentis e que saibam se comportar. Ensinar bons modos é necessário. Além de um superdesafio, é um trabalho árduo e, às vezes, parece que estamos andando em círculo. Quantas vezes você já precisou repetir para seu filho que ele precisa compartilhar seus brinquedos, dar "bom-dia", falar "por favor" e "obrigado"? Se você ainda não fez isso, é porque seu filho ainda é um bebê, acertei?

Há dias em que minha filha entra no elevador, encontra o vizinho e diz, sorridente: "Bom dia, como você está? Eu estou indo para a escola, sabia?". Já em outros, ela entra no elevador, encontra o vizinho, franze a testa, dá as costas para ele e agarra na minha perna (e a gente fica olhando com aquele sorriso amarelo). Eu sei, ensinar a gentileza é difícil e necessário!

Mas o que eu quero fazer você refletir é que nossos filhos precisam de muito mais do que bons modos. Educar nossos filhos para Deus é mais do que ensiná-los a respeitar as pessoas e serem educados. Nossos filhos precisam **nascer de novo**!

Existem diferentes interpretações teológicas sobre o fato de as crianças nascerem pecadoras ou não. Mas não há nenhuma dúvida de que nascemos com uma natureza que nos inclina ao pecado. Aprender boas maneiras não é suficiente para que seu filho seja conduzido a Cristo e não resolve o problema do abismo espiritual que há entre ele e Deus.

> Porque **todos pecaram** e destituídos estão da glória de Deus.
> **Romanos 3.23 – ARC**

Para que você tenha uma maior compreensão do principal alvo da educação do seu filho, quero tomar emprestadas algumas informações da Psicologia.

Existe uma linha da Psicologia chamada "behaviorismo". A expressão se origina do termo em inglês "behavior", que significa "comportamento". Ela também é conhecida como "Psicologia Comportamental" e, em resumo, o seu alvo é prever e controlar o comportamento humano. Para simplificar ainda mais e eu possa chegar aonde eu quero, essa linha da Psicologia entende que o comportamento de uma pessoa pode ser completamente lapidado, treinado e mudado pelo ambiente e pelas influências que ela recebe.

John Watson, considerado o pai do behaviorismo, diz o seguinte:

> *Deem-me uma dúzia de crianças saudáveis, bem formadas, e um ambiente para criá-las que eu próprio especificarei, e eu garanto que, tomando qualquer uma delas ao acaso, prepará-la-ei para tornar-se qualquer tipo de especialista que eu selecione — um médico, advogado, artista, comerciante e, sim, até um pedinte e ladrão, independentemente dos seus talentos, pendores, tendências, aptidões, vocações e raça de seus ancestrais.*
> **John Watson**

> APRENDER BOAS MANEIRAS NÃO É SUFICIENTE PARA QUE SEU FILHO SEJA CONDUZIDO A CRISTO E NÃO RESOLVE O PROBLEMA DO ABISMO ESPIRITUAL QUE HÁ ENTRE ELE E DEUS.

John queria dizer o quanto era perfeitamente possível calibrarmos qualquer criança para ser o que quisermos. Realmente, o que ele diz faz sentido. Até por isso, não é apenas uma teoria, mas algo testado e comprovado cientificamente. Eu não quero criticar o que ele concluiu, eu quero fazer você pensar se isso é a solução que você busca para seu lar.

O estilo de criação de filhos que mais impera no meio cristão é justamente este: influências externas podando comportamentos errados e estimulando boas ações. Parece ser um caminho perfeito e suficiente, não é? Não se tivermos em mente o nosso principal e verdadeiro alvo.

Avalie comigo: será que bons modos e boas ações são tudo de que seu filho precisa? Bons modos e boas ações são suficientes para que o homem possa restaurar o seu relacionamento com Deus? Eu ouso dizer que essa é a maior mentira que o Diabo quer que nós acreditemos: que somos bons o suficiente para alcançarmos o Céu. Parece tão lindo e profundo, mas não é isso que a Bíblia nos diz.

Como está escrito: Não há um justo, nem um sequer [...].
Romanos 3.10

Se concentrarmos todos os nossos esforços e investirmos os nossos dias apenas criando homens e mulheres educados, gentis e generosos, fracassaremos no nosso grande alvo de conduzirmos nossos filhos para Jesus. Países com alto índice de moralidade são os mais fechados para o evangelho por uma simples questão: eles *não precisam* dele.

Verdadeiros homens e mulheres de Deus certamente serão educados, gentis e com boas condutas morais, mas isso será resultado de uma nova natureza e um novo coração. É justamente por isso que eu comecei o capítulo falando sobre o **novo nascimento**.

O NOVO NASCIMENTO

Um dia, Jesus teve uma conversa com um dos líderes dos judeus que nos esclarece sobre o que estou lhe dizendo.

> Jesus respondeu, e disse-lhe: Na verdade, na verdade te digo que aquele que não nascer de novo, não pode ver o reino de Deus.
> Disse-lhe Nicodemos: Como pode um homem nascer, sendo velho? Pode, porventura, tornar a entrar no ventre de sua mãe, e nascer?
> Jesus respondeu: Na verdade, na verdade te digo que aquele que não nascer da água e do Espírito, não pode entrar no reino de Deus.
> O que é nascido da carne é carne, e o que é nascido do Espírito é espírito.
> Não te maravilhes de te ter dito: Necessário vos é nascer de novo.
> **João 3.3-7 – ACF**

Jesus é claro em dizer que existem dois tipos de nascimento: o natural e o espiritual. A Bíblia fala sobre o homem natural, que tem a sua vida humana, respira e habita nesta Terra, mas que tem seu espírito morto e desconectado de Deus.

Vemos que "o salário do pecado é a morte", mas não vemos uma criança morrer imediatamente depois que ela comete o seu primeiro ato pecaminoso. O que acontece é que o pecado gera morte *espiritual*, faz com que o ser humano não desfrute mais da vida de Deus.

Este é o ser humano sem Jesus: ele não tem nenhuma comunhão com o Espírito de Deus porque ainda não nasceu do Espírito. É por isso que Jesus nos diz que ele veio para nos trazer vida e vida *em abundância*. No texto original, essa palavra, "vida", é *zoe*, que é a própria vida de Deus colocada em nós.

Não existe outra maneira de sermos verdadeiramente transformados e transportados das trevas para luz se não provarmos desse novo nascimento; mas certamente o desejo pelo novo nascimento surge quando percebemos o quanto precisamos dele.

O que temos de entender é que existem coisas que são próprias de cada natureza. Por exemplo, talvez até possamos um dia domesticar um porco, ensiná-lo a latir, balançar o rabinho e dormir na casinha do quintal, mas quando ele enxergar a lama, vai desejar estar lá e correr para se lambuzar, porque isso é próprio da sua espécie e da sua natureza.

Voltando para o behaviorismo, você se lembra do que o professor John disse? Ele poderia transformar qualquer criança em qualquer coisa, apenas com ajustes próprios do ambiente externo, dos estímulos e da influência. Ele está coberto de razão. Você também pode, mamãe. A questão é: *qual é o nível de transformação que você quer que seu filho experimente?* De um ser humano de natureza caída, morto espiritualmente, desobediente, inconveniente, cruel e com más condutas para um ser humano de natureza caída, morto espiritualmente, mas obediente, polido e moralmente bom?

O nosso maior alvo precisa ser a mudança de natureza, o novo nascimento, que apenas é possível e alcançado por meio da poderosa obra da cruz. Ali, Jesus morreu para que nossa velha natureza morresse também. A boa notícia é que, depois de três dias, ele ressuscitou para que também herdássemos uma nova vida, que até já venceu a morte.

Você se lembra de que falamos que nosso grande propósito é gerar e nutrir nossos filhos? Eu enfatizei o fato de que precisamos gerá-los espiritualmente também. Claro que essa é uma obra exclusiva do Espírito Santo! Mas você já deve ter percebido que também foi exatamente assim quando você gerou seu filho para sua vida natural. Seu papel quando gerou seu filho foi apenas receber a semente dentro do seu útero e esperar pelo agir de Deus! Ou você acordava, olhava a listinha e trabalhava muito, afinal de contas, era a décima segunda semana e era hora de terminar a formação da pálpebra? Ou era a décima quarta semana e você não podia se esquecer de finalizar o céu da boca do seu filho? Assim como foi uma obra linda e minuciosa do nosso Criador, o novo nascimento do seu filho também será. Mas lembre-se de um detalhe: uma semente também precisará ser lançada no seu pequeno coração.

UMA MUDANÇA REALMENTE TRANSFORMADORA

Se você percebesse que seu filho está pálido pela falta de açúcar no seu sangue, adiantaria maquiá-lo para que o problema fosse resolvido? Apenas essa mudança externa não seria suficiente para resgatar a sua saúde, embora você resolvesse o problema da palidez.

Lembro-me de uma aula da faculdade em que o professor de Farmacologia nos mostrava as diferentes ações dos medicamentos. Em determinado momento, ele nos fez uma pergunta: se o seu paciente estivesse batendo a cabeça compulsivamente na parede, adiantaria você apenas comprar um capacete para ele? Talvez ele ficasse mais protegido, mas não resolveríamos o principal problema. Precisaríamos descobrir uma maneira de fazer com que o paciente parasse de fazer isso. Uma mudança realmente transformadora na vida do seu filho nunca ocorrerá apenas com maquiagem e capacetes.

Quero ilustrar essa mudança de natureza de uma maneira que, com certeza, vai marcar seu coração e afetar seu olhar sobre isso.

A Bíblia diz em Romanos sobre sermos como uma oliveira brava, cortada e enxertada na oliveira cultivada:

> Se alguns ramos foram cortados, e você, sendo oliveira brava, foi enxertado entre os outros e agora participa da seiva que vem da raiz da oliveira cultivada, não se glorie contra esses ramos. Se o fizer, saiba que não é você quem sustenta a raiz, mas a raiz a você.
>
> **Romanos 11.17,18**

Meu pastor Aluízio Silva parafraseia esse texto de uma forma que nos esclarece muito bem sobre a obra de Deus em nós. Ele diz que nós, seres humanos, somos como uma "pimenteira de pimenta brava" e insistimos em produzir pimenta (perceba a pimenta como nossos atos pecaminosos). Podemos arrancar todas as pimentas desse pé, mas elas insistem em nascer outra e outra vez. Porém, a Bíblia diz que, na cruz, nós fomos incluídos em Cristo; ele é a Videira Verdadeira. Quando cremos em Jesus e o recebemos como nosso Salvador, somos arrancados da terra em que estávamos e enxertados nele. Agora, a seiva que passa na Videira Verdadeira é a seiva que nos alimenta. Então, passamos a ter apenas o casco da pimenteira, mas nos tornamos produtores de boas e doces uvas.

Mamãe, se o seu filho produz pimentas, não adianta apenas podá-lo, podá-lo e podá-lo. Ele precisa ser enxertado na Videira Verdadeira.

> *Permaneçam em mim, e eu permanecerei em vocês. Nenhum ramo pode dar fruto por si mesmo se não permanecer na videira. Vocês também não podem dar fruto se não permanecerem em mim. Eu sou a videira; vocês são os ramos. Se alguém permanecer em mim e eu nele, esse dará muito fruto; pois sem mim vocês não podem fazer coisa alguma.*
>
> **João 15.4,5**

Na Criação Bíbliacompatível, não nos importamos apenas com bons modos; realmente temos como alvo principal conduzir nossos filhos até Jesus.

CAPÍTULO CINCO

O POTENCIAL DE UMA COMPREENSÃO COMPLETA

Quando falamos que o grande alvo dos nossos filhos é que eles tenham uma experiência real de novo nascimento, não excluímos o fato de que precisamos cuidar de todas as áreas do seu ser.

Neste capítulo, eu quero lhe mostrar a importância de você considerar cada aspecto do seu filho. Mas, primeiro, eu preciso mostrar o quanto a transformação do seu filho é tão importante para Deus quanto é importante para você.

Tenho o costume de parar e refletir sobre os atributos de Deus. Até porque, a Bíblia diz que tal qual ele é, nós seremos neste mundo (1 João 4.17). Deus é poderoso, onipresente, onisciente e suficiente, mas ele mesmo decidiu que algo ele não teria: a posse absoluta de todo ser humano. O nosso Deus queria ser escolhido, porque sabia que, no verdadeiro amor, existe liberdade.

Não foi à toa que ele plantou no Jardim do Éden a árvore do conhecimento do bem e do mal. Ela não foi um deslize do Criador ou uma ideia que deu errado. Na verdade, quando ela foi plantada, o Senhor, na sua soberania, já sabia que o homem precisaria de um resgate.

A Bíblia diz, em Apocalipse 13.8, que o Cordeiro foi morto antes da fundação do mundo. Isso nos revela que Deus desejava tanto ter filhos, que mesmo sabendo de tudo o que aconteceria, não desistiu da sua ideia de criá-los.

Em 2 Crônicas 16.8, vemos que os olhos do Senhor estão sobre toda a Terra para mostrar a sua força para aquele cujo coração seja totalmente dele (aliás, esse é meu versículo favorito). É maravilhoso saber que quando somos encontrados pelo Senhor com nosso coração completamente entregue, somos alvos da sua força e poder. Mas quero focar em um fato revelado nesse versículo: nem todo coração é completamente dele. E é por isso que vemos, ao longo de toda a Bíblia, o desejo profundo do Senhor de ter filhos, ou seja, de ter criaturas com seu coração entregue a ele.

Quando Deus formou Adão e Eva, ele lhes deu uma ordem: sejam férteis, multipliquem-se e encham a Terra (Gênesis 1.22). Depois, vemos a mesma direção para Noé: frutifiquem-se, multipliquem-se, povoem abundantemente a Terra (Gênesis 9.7). No Novo Testamento, vemos Jesus revelando Deus como Pai e manifestando mais uma vez o seu desejo: ide e fazei discípulos de todas as nações (Mateus 28.19). Nesse momento, a Bíblia já revela o fato de que, ao recebermos Jesus, nos tornamos filhos de Deus.

> *Mas, a todos quantos o receberam, deu-lhes o poder de serem feitos filhos de Deus, aos que creem no seu nome.*
> **João 1.12 – ACF**

Ao lhe mostrar toda essa santa obsessão do Senhor por ter filhos e por aperfeiçoá-los, eu quero fazer você perceber o quanto Deus tem interesse e cuidado pelos nossos filhos.

Amamos tanto o fruto do nosso ventre que às vezes nos parece impossível alguém amá-los tão profundamente quanto nós. E mesmo que nós saibamos da grandeza do amor de Deus, parece que nos desligamos disso quando os desafios vêm.

Quando Deus criou o homem, ele não criou apenas mais uma peça do "tabuleiro do mundo", mas formou sua obra-prima (Efésios 2.10). É por isso que ele fez tudo conforme a sua própria espécie, mas fez o homem à sua imagem e semelhança (Gênesis 1.27). Certamente, o Criador projetou tudo de forma minuciosa e cuidadosa. Seu filho talvez não tenha sido desejado por você, ou talvez tenha sido e muito, mas uma coisa eu posso afirmar: seu filho foi desejadíssimo por Deus. Ele foi formado segundo a imagem e semelhança do Senhor, e isso é um fato muito notório e que precisa ser sempre lembrado por todas nós.

Entre tantas características que Deus desejou compartilhar ao formar o homem, existe uma que chama minha atenção, que nos enriquece e precisa ser completamente considerada quando nos relacionamos com as crianças para educá-las: somos seres triúnos assim como ele é.

CORPO, ALMA E ESPÍRITO

> *E o mesmo Deus de paz vos santifique em tudo; e todo o vosso espírito, e alma, e corpo, sejam plenamente conservados irrepreensíveis para a vinda de nosso Senhor Jesus Cristo.*
> **1 Tessalonicenses 5.23 – ACF**

Quando se trata de criação de filhos, educação e disciplina, vemos com uma grande frequência dois grupos de pessoas. De um lado, vemos aquelas pessoas que consideram todas as questões do comportamento das crianças como algo espiritual e pecaminoso. Do outro lado, vemos todos os aspectos espirituais sendo desconsiderados e tudo sendo visto apenas como um capítulo do desenvolvimento da criança ou uma questão emocional e fisiológica.

Pais cristãos têm a tendência de considerar tudo como um aspecto de rebeldia e pecado deliberado, e isso atrapalha, e muito, na abordagem que é tomada na correção dos seus filhos.

Quero compartilhar sobre a primeira birra da minha filha e quão traumática e desastrosa foi nossa reação e a maneira que conduzimos toda a situação, justamente por essa falta de percepção sobre todos os aspectos da minha filha.

Estávamos passando alguns dias de férias na Flórida com nossa filha, que, na época, tinha 1 ano e 11 meses. É claro que ela já tinha tido algumas birrinhas, mas nada comparado ao que aconteceu nesse dia.

Era um domingo, e fomos para o culto em uma igreja pastoreada pelo casal de amigos que nos hospedava. Chegando lá, Giovana foi para o culto das crianças em uma salinha com outras crianças e duas professoras. Foi a primeira vez que ela ficava em um ambiente sem mim, mas se distraiu bem e permaneceu ali.

Ao terminar o culto, meu marido foi buscá-la e voltou com ela no colo. Ela segurava um pacote de Doritos nas mãos (sim, Doritos, aquele salgadinho de queijo *nacho* nada saudável para uma criança menor de dois anos, ainda mais para comer antes do almoço). Quando ela chegou até mim, eu peguei o salgadinho da sua mão e, com muita sabedoria (só que não), eu entreguei ao meu marido com a seguinte frase: "Suma com isso!".

Naquele momento, você não faz ideia da maneira como essa criança reagiu (ou faz!). Ela começou a gritar, se debater, deslizou pelos meus braços, de maneira que eu não conseguisse mantê-la no meu colo. Ela batia a cabeça no chão com força e virava de um lado para o outro. Eu e meu marido ficamos completamente assustados, sentindo-nos incapazes e despreparados. Eu não sabia o que fazer.

Fomos para fora daquele lugar, e, ali na calçada, meu marido me disse "eu vou expulsar!". Não, isso não é um exagero nem algo que eu inventei para trazer o acontecimento dentro do contexto. Talvez agora até pareça engraçado, mas nos sentíamos desesperados. Quando eu ouvi aquilo, a primeira coisa foi repreender meu marido: "Credo! Misericórdia!". Mas ao mesmo tempo, eu não fazia mais ideia do que fazer, estava morrendo de vergonha, e ela agia de maneira assustadora. "Está bem! Expulsa!" Gente, que cena... nem sei como descrever! O fato é que a reação dela nos deixou tão perplexos, que nem sabíamos por onde começar. Como bons crentes que somos, já repreendemos todo demônio da birra e todo espírito de vício em salgadinhos.

Tantas coisas estavam envolvidas, mas nosso despreparo nos fez apenas avaliar e detectar supostos problemas espirituais (se seu filho já teve um ataque de birra desses, você vai saber que nossa conclusão imatura não foi tão absurda assim!).

A Bíblia nos revela que somos formados por espírito, alma e corpo. Deus criou o homem do pó da terra, soprou sobre ele o fôlego de vida, e ele se tornou alma vivente (Gênesis 2.7). O "pó da terra" aponta para a formação do nosso *corpo*, que é nossa parte física, que se relaciona com o mundo material. O fôlego de vida aponta para o nosso *espírito*, que é a parte no nosso ser que se relaciona com Deus. Mas também existe a alma, que surge na criação do homem como resultado da união do corpo com o espírito: "e se fez alma vivente". A *alma* é a sede da nossa personalidade, e ela se relaciona tanto com o espírito quanto com o corpo. Nenhum desses três aspectos deveria ser desconsiderado ou esquecido no processo de educação de filhos.

Naquele dia, todas as expressões da minha filha pareciam espirituais, enquanto na verdade nada mais eram do que questões relacionadas ao seu corpo e à sua alma. Ela estava totalmente fora da sua rotina, cansada e com sono (não queira me ver cansada e com sono também). Ela estava em outro fuso horário, com pessoas diferentes, falando uma língua diferente e por alguns longos minutos ficou longe da mamãe. Ela também estava com fome e teve seu alimento arrancado das suas mãos, literalmente.

Entenda-me bem: não estou querendo lhe dizer que inconvenientes justificam o desrespeito, mas quero lhe mostrar o quanto as crianças têm necessidades naturais, que quando não são supridas, podem desencadear reações desafiadoras (até mesmo assustadoras), mas que são normais e fisiológicas. É um grande problema espiritualizar todos os comportamentos das crianças que não nos agradam.

Crianças não sabem se controlar como gostaríamos; muitas vezes, não sabem se expressar de outra forma que não seja através do choro ou grito. Claro que elas precisam ser ensinadas a pensarem sobre as suas ações, e falaremos sobre isso adiante. Porém, é completamente tolice pensar que todo comportamento que foge do esperado é uma manifestação de pecado. Muitas e muitas vezes serão questões emocionais, naturais e fisiológicas.

Entretanto, existe um segundo grupo de pessoas que contrasta com tudo o que falamos até agora. Elas ignoram o fato de a criança possuir inclinação ao pecado. Não podemos desconsiderar os aspectos espirituais envolvidos na educação de filhos.

Sempre quando eu falo sobre as crianças precisarem de conversão, algumas pessoas se opõem, dizendo que é absurdo o fato de pensarmos que uma criança pode estar perdida espiritualmente. Essas pessoas usam o argumento de que a Bíblia diz que das crianças é o Reino. No original grego, vemos que, na verdade, Mateus 19.14 diz que o Reino é daqueles tais como as crianças, e não quer dizer que as crianças são isentas de pecado. Pessoalmente, acredito que isso se refere ao fato de a criança ser imensamente

> É COMPLETAMENTE TOLICE PENSAR QUE TODO COMPORTAMENTO QUE FUGIR DO ESPERADO É UMA MANIFESTAÇÃO DE PECADO. MUITAS E MUITAS VEZES SERÃO QUESTÕES EMOCIONAIS, NATURAIS E FISIOLÓGICAS.

mais aberta para crer em Jesus do que um adulto. Se as crianças não precisassem do Evangelho, o Senhor não nos alertaria no capítulo anterior que não é da vontade do Pai que nenhum pequenino pereça.

> *Assim, também, não é vontade de vosso Pai, que está nos céus, que um destes pequeninos se perca.*
>
> **Mateus 18.14 – ACF**

A educação deste mundo nos diz que, se não interferirmos no curso natural dos pequenos, eles serão adultos éticos e morais. Insistem na ideia de que a criança é um anjinho inocente e sem pecado, mas as influências externas os corrompem. Dizem que os filhos se tornam maus certamente porque algo aconteceu e a maldade entrou em seu coração; muitos até colocam esse peso sobre os ombros dos pais, dizendo que o filho que age de uma maneira inapropriada assim o faz porque seu pai, ou a sua mãe, fez algo errado primeiro.

Em outras palavras, ignoram o fato de sermos seres carnais, com inclinação ao pecado. Sim, às vezes a criança terá um mau comportamento por conta de algo físico ou uma carência emocional. Mas muitas e muitas vezes seu mau comportamento será o impulso pelo pecado já embutido na sua natureza. Como diz John MacArthur, "quando os filhos simplesmente têm permissão para seguirem o curso da sua natureza, o resultado inevitavelmente é o desastre!".[1]

Como comecei dizendo, todas as partes do nosso ser foram cuidadosamente planejadas por Deus, que nos criou e nos desejou. Existe beleza e propósito em tudo o que ele formou em nós. Tendo um olhar completo sobre nossos filhos,

---

[1] MACARTHUR, John. **Pais sábios, filhos brilhantes**. Rio de Janeiro: Thomas Nelson, 2014.

seremos coerentes e prudentes para corrigi-los, ensiná-los e supri-los no que for preciso.

Na Criação Bíbliacompatível, não focamos apenas em abolir o pecado, tampouco apenas em olhar para a criança como um ser inocente, mas tomamos o cuidado de considerar todos os aspectos dos nossos filhos e aperfeiçoá-los.

CAPÍTULO SEIS

É SÓ UMA FASE?

> *Quando eu era menino, falava como menino, pensava como menino e raciocinava como menino. Quando me tornei homem, deixei para trás as coisas de menino.*
> **1 Coríntios 13.11**

Para começar este capítulo, eu quero compartilhar uma sequência de mensagens que eu recebo com muita frequência:

"Me ajude, meu filho tem um ano e dois meses e, quando fica bravo, ele grita e chora."

"Meu menino de 3 anos não para quieto para assistir o culto, ele quer levantar o tempo todo."

"Não sei o que fazer, meu filho tem 2 anos e meio e, quando eu falo para ele não fazer algo, ele vai lá e faz!"

"Minha filha de 4 anos quer escolher as roupas todos os dias, me ajude!"

"Meu filho pequeno, quando não quer mais comer, bate na colher ou joga a comida!"

Quando eu recebo essas mensagens, eu não me ofendo, porque me coloquei à disposição para ajudar as mães e servi-las, mas preciso confessar que muitas e muitas vezes eu me questiono: o que será que os pais esperavam das crianças pequenas?

Se o seu filho já passou da primeira infância, talvez este capítulo não seja mais completamente aplicável para você, mas não poderia deixá-lo de fora. Certamente, vou abranger um ensino muito importante e que de alguma medida será útil para todas. Agora, se seu filho é pequeno, talvez vá pensar que eu até estive na sua casa, isso, porque o que eu tenho para lhe dizer não é uma exceção no mundo materno, mas é realidade em 100% das famílias.

Já vimos uma chave bíblica muito importante: devemos ver nossos filhos como um todo: corpo, alma e espírito. Porém, existe uma segunda chave que, com certeza, faz toda a diferença no nosso dia a dia: *existem coisas próprias de meninos*.

Muitas e muitas vezes, vemos os pais esperando respostas e comportamentos absolutamente incompatíveis com a idade dos seus filhos. A Bíblia diz em 1 Coríntios 13.11 que meninos falam como meninos, pensam como meninos e raciocinam como meninos. Desgastamos-nos por esperar das crianças coisas que não são próprias da sua idade. O apóstolo Paulo nos alerta que um dia é preciso deixar as coisas de menino, mas gosto de enfatizar o fato de que, às vezes, ainda não chegou esse momento para o seu filho.

Uma das maiores causas de frustração em todas as áreas da nossa vida é a expectativa errada. Muitas vezes, esperamos que nossos filhos ajam e reajam de uma maneira incompatível com a sua maturidade, idade, capacidade de raciocínio e de controle emocional. Esperar atitudes maduras do seu filho de três anos é um prato cheio para a frustração.

Algumas mães se apegam ao mantra "é só uma fase" para tentar lidar melhor com os desafios comportamentais das crianças. Mas precisamos ter uma visão total e correta sobre essa afirmação. Na Criação Bíbliacompatível, sabemos que não podemos contar apenas com a sorte e com o curso natural humano, que crianças precisam ser ensinadas, corrigidas e instruídas. Mas também precisamos saber que é completamente tolice exigir determinadas atitudes em certas idades.

Quando a minha filha tinha dois anos e meio, ela começou a ir para a escola. Em um sábado, eu peguei um papel, algumas tintas e a deixei pintar. Com um descuido meu, ela pegou o papel e grudou na parede, com a parte da tinta molhada carimbando a minha sala. Imediatamente, eu a repreendi: "Minha filha, por que você fez isso? Não faça assim!". E ela me respondeu: "Mamãe, eu fiz como fazemos na escola, precisamos colocar a atividade na parede para secar!".

Veja, a criaturinha de dois anos e meio não conjecturou um plano maquiavélico contra mim e decidiu se rebelar, ela apenas achou bem propício colocar a sua obra de arte na parede, como aprendeu na escola.

Crianças fazem criancices. Lembro-me de um episódio da minha vida quando eu fiz 15 anos. Minha irmã tinha 8 anos. Eu recebi todos os presentes da minha festa de debutante e coloquei uma etiqueta com o nome de quem tinha me presenteado para que eu pudesse ter aquele sonhado momento de abrir os meus presentes e perceber calmamente o carinho por trás de cada lembrança. Quando a festa terminou, desci do salão de festas ansiosíssima para o grande momento de descobrir o que eu tinha recebido de cada convidado. Para a minha surpresa, quando eu entrei pela porta do apartamento em que eu morava, todos os meus presentes estavam abertos. Adivinha? Minha querida e fofíssima irmã tinha aberto os presentes para me "ajudar". Além disso, ela pegou meu importante e sagrado "caderno para a debutante" e, ao lado de cada recado das minhas amigas, escreveu com a sua própria letra o nome do meu irmão gêmeo, que não fazia a mínima questão de ter uma festa de debutante, muito menos um caderno de recadinho dos amigos, pelo contrário, estava entediadíssimo com toda aquela festa que precisou enfrentar por ter uma irmã gêmea (sim, você entendeu certo, eu sou gêmea). Em cada mensagem, ela complementou com o nome do meu irmão para que ele não ficasse chateado. Se estava escrito "querida amiga", ela escreveu "e querido amigo". Se estava escrito "Tati", ela completou "e Vini". Você pode imaginar quão nervosa e irritada eu fiquei quando eu vi tudo aquilo. Eu juro que hoje, quando abrimos o meu caderno de debutante, morremos de rir ao ver as anotações adicionais da minha irmã e relembrar toda a situação, mas eu fiquei muito, muito, mas muito brava.

Quando ela fez isso, eu disse para minha mãe: "Como que a Sarah faz uma coisa dessas? Ela é muito *infantil*!". E eu me lembro do quanto a minha mãe me colocou na real, respondendo: "Sim, foi uma atitude infantil de uma criança que é infantil, ou você quer que uma criança infantil sempre seja madura e responsável?". É claro que minha mãe a corrigiu e ensinou; nunca mais ela sequer chegou perto dos meus presentes antes que eu os desembrulhasse. Contudo, minha mãe me fez perceber o quanto é tolerável atitudes infantis das crianças. Minha irmã fez aquilo porque realmente queria me ajudar; talvez sua empolgação fosse tanta que mal conseguiu me esperar. Ela, de fato, estava muito preocupada com nosso irmão; na sua cabeça, ele poderia se sentir excluído e rejeitado. Ela foi infantil, mas não foi pecaminosa ou desrespeitosa.

Crianças não deveriam ser castigadas por criancices que fazem de maneira inocente. Elas estão aprendendo e se desenvolvendo. Muitas vezes, elas são punidas enquanto deveriam ser ensinadas. Por isso que é tão importante entendermos mais sobre o que esperar de cada fase das crianças. Dessa maneira, seremos mais coerentes e pacientes.

"

CRIANÇAS NÃO DEVERIAM
SER CASTIGADAS POR
CRIANCICES QUE FAZEM
DE MANEIRA INOCENTE.
ELAS ESTÃO APRENDENDO
E SE DESENVOLVENDO.
MUITAS VEZES, ELAS
SÃO PUNIDAS ENQUANTO
DEVERIAM SER ENSINADAS.

"

A CHAVE DA PACIÊNCIA

O longânimo é grande em entendimento, mas o de ânimo precipitado exalta a loucura.

Provérbios 14.29 – ARA

Gosto de analisar os textos da Bíblia que falam sobre o comportamento do homem e fazer o exercício de pensar nas mamães. Como poderíamos ler o texto de Provérbios 14.29 na "linguagem das mamães"? *A mãe longânima é grande em entendimento, mas a mãe de ânimo precipitado exalta a loucura.* Na "Nova Tradução da Linguagem de Hoje das Mamães", poderíamos ler que *a mãe que consegue ser paciente tem muito entendimento, mas a mãe que surta com frequência não tem bom senso.*

A palavra "loucura" no original é a mesma palavra que caracteriza a mulher do primeiro versículo do mesmo Capítulo:

A mulher sábia edifica a sua casa, mas com as próprias mãos a insensata derruba a sua.

Provérbios 14.1

Ou seja, a mãe que não é grande em entendimento tem uma grande tendência de destruir seu lar. Você não precisa ser uma *expert* em desenvolvimento infantil, mas você pode orar por sabedoria, conhecimento, discernimento e graça para saber lidar com as situações.

Não podemos pensar que todo mau comportamento é apenas fruto de uma fase que vai passar, isentando-nos de toda necessidade de ensino, disciplina e instrução, mas também não podemos ignorar as fases de desenvolvimento das nossas crianças. Com certeza, saber mais sobre como as crianças se desenvolvem e raciocinam pode nos fazer crescer em paciência e instrução.

Vou emprestar uma informação da neurociência para que você possa entender o porquê de algo muito comum.

Com muita frequência, as mães se queixam de dar instruções aos seus filhos pequenos e eles fazerem exatamente o contrário. Elas dizem "não coloque o dedo na tomada", e eles imediatamente colocam o dedo na tomada. Provavelmente, você já ouviu a dica: "Não diga a palavra não! Faça comandos positivos". Mas quero lhe explicar tudo isso melhor.

A área do nosso cérebro responsável por fazermos associação de informações é uma parte anterior denominada córtex pré-frontal. Sempre que precisamos assimilar duas coisas, às vezes opostas, precisamos usá-las. Quando eu peço para você pensar em uma bola verde enquanto você repete a palavra "bola preta", você está usando essa região do seu cérebro (tente fazer isso agora).

Quando damos um comando negativo para alguém, na verdade, damos um comando com duas informações diferentes. Se eu digo "não risque a parede", na verdade, estou unindo o comando "não" mais o comando "risque a parede".

O problema é que o córtex pré-frontal nunca começará a ser desenvolvido antes dos dois anos de idade, ou seja, a criança pequena não tem condições de integrar as informações e reagir adequadamente conforme a sua instrução completa. Sabendo disso, é sábio darmos sempre uma única instrução, como no caso, "risque esse papel". Não adiantaria você dar um tapinha na mão do seu filho no momento que ele riscar a parede após a sua instrução inadequada. Você precisa ajustar a sua comunicação.

AS BIRRAS

Quando falamos sobre fases, é oportuno falar sobre as birras, porque por mais assustadoras que elas pareçam (lembra da minha filha depois de perder o pacote de Doritos?), elas fazem parte do desenvolvimento das crianças.

Quando as crianças se aproximam dos dois anos, elas começam a desenvolver a sua autonomia e querem expressar o quanto são capazes de tomar decisões. É comum elas começarem a ser "do contra" justamente para mostrar o quanto são capazes de escolherem. A mãe vai tirá-la da cadeirinha do carro, e elas querem o papai, mas se fosse o papai, elas pediriam pela mamãe. Se temos duas opções e escolhemos uma, ela com certeza rejeita nossa escolha. Não é à toa que essa fase é chamada de "*Terrible Two*" ou a *Adolescência do Bebê*. O filho que era tão tranquilo e bonzinho começa a encrencar com pequenas coisas. Haja paciência, não é?

Com essa mudança, vêm as crises de birra. Por um pequeno motivo ou aparentemente sem motivo algum, a criança tem um ataque imenso, grita, chora e se debate. O que ocorre é como uma pane cerebral, quando, devido a algum gatilho, as áreas emocionais não conseguem ser reguladas pelas áreas responsáveis, formando uma desconexão cerebral que é expressa por um caos em que a criança entra; ela mesma se assusta e não consegue sair.

Esse é um momento em que os pais precisam oferecer proteção, socorro e segurança, mas o que acontece é que, muitas vezes, eles se unem ao caos.

Quando minha filha estava tendo sua primeira birra, nós tentávamos falar sobre a paciência, a calma, o respeito, mas nada adiantava. Estávamos tentando ensiná-la a nadar enquanto ela estava se afogando. Era completamente inútil, ela só precisava sair da água.

Quando uma criança está tendo um ataque de birra, não adianta darmos comandos para que ela pare ou ensinarmos todos os valores que ela precisa aprender. Precisamos protegê-la, cuidá-la, amá-la e esperar. Às vezes, podemos usar pequenas estratégias que podem ajudar seu cérebro a organizar as coisas, como distraí-la ou fazer perguntas para que a criança seja estimulada a pensar. Mas muitas vezes, será preciso aguardar.

Pela falta de compreensão, quantas vezes vemos crianças pequenas sendo punidas por algo que é naturalmente esperado e nada tem a ver com falta de valores, pecado ou desrespeito? Quando elas mais precisam de ajuda, recebem punição. Depois que elas se acalmam, é necessário e importante ensinar sobre as virtudes necessárias. Mas esse é mais um exemplo do quanto é preciso conhecer as crianças e termos expectativas reais sobre elas.

Claro que, quando se trata de criação de filhos, eu nunca conseguiria listar todas as inúmeras situações que você enfrentará e abordar todas elas. Em muitos momentos, seu filho reagirá de uma maneira inesperada, ou até inapropriada, porque terá um olhar completamente diferente sobre a situação.

Por isso, sempre se lembre de que meninos falam como meninos, agem como meninos e raciocinam como meninos e tente se colocar no lugar do seu filho para compreender as coisas com o seu olhar. Certamente, seu relacionamento com ele será muito mais suave e, às vezes, até mesmo mais divertido.

Na Criação Bíbliacompatível, não somos intolerantes a criancices, mas compreendemos que as crianças fazem coisas próprias de crianças e sabemos ensiná-las com sabedoria e amor.

CAPÍTULO SETE

LIMITES

> E ordenou o Senhor Deus ao homem, dizendo: De toda a árvore do jardim comerás livremente, mas da árvore do conhecimento do bem e do mal, dela não comerás; porque no dia em que dela comeres, certamente morrerás.
> **Gênesis 2.16,17 – ACF**

Já mencionei há alguns capítulos o fato de Deus ter criado o homem mesmo sabendo que ele falharia. Quero relembrar algo que já pincelei, mas agora quero completar a "pintura".

O ser humano iniciou a sua história no lugar mais prazeroso possível. Jardim do Éden significa "jardim das delícias", e com certeza o lugar fazia jus ao nome. A Bíblia o descreve como um jardim cheio de lindas árvores frutíferas.

> E o Senhor Deus fez brotar da terra toda a árvore agradável à vista, e boa para comida [...].
> **Gênesis 2.9 – ACF**

Além de todas as belezas da natureza, havia um rio que se ramificava em rios menores com pedras preciosas. Você pode imaginar que lugar magnífico? Deus colocou Adão e Eva ali para desfrutarem do jardim; eles poderiam comer de todas as árvores livremente, menos da árvore do conhecimento do bem e do mal. Se comessem daquele fruto, eles morreriam.

Lembre-se do que eu disse: essa árvore não foi colocada ali por um engano do Criador; ela foi colocada ali por causa do amor de Deus. Deus amou tanto o homem que jamais o criaria sem liberdade.

Adão e Eva tinham toda a liberdade do mundo, poderiam fazer o que quisessem, mas existia um LIMITE. Deus estabeleceu um limite. Não porque não os amava, mas justamente porque desejava protegê-los. O que o Diabo quer fazer hoje é exatamente o que fez na mente de Adão e Eva. Ele não quer que vejamos todas as belezas que temos para desfrutar, quer que fiquemos indignados com o fato de o limite existir.

"Crianças que têm limites se tornam adultos limitados." Li essa frase em um jornal que exaltava um método de educação de filhos no qual os filhos deveriam ser completamente livres para fazerem o que quiserem. A reportagem falava sobre uma teoria que acredita que as crianças precisam ter autonomia para tomar todas as suas decisões. Uma britânica foi entrevistada e dizia com muito orgulho que seus filhos faziam o que queriam, quando queriam. Segundo ela mesma disse, eles poderiam ditar o que fazer o dia todo, até mesmo o que comer!

Essa é uma das bandeiras que os métodos e teorias de educação deste mundo insistem em levantar. Nunca houve um ataque tão grande contra princípios explicitamente encontrados na Palavra de Deus, como obediência, autoridade e honra. O argumento que é usado é que a criança que recebe limites torna-se insegura, tímida, paralisada e incapaz de se posicionar. Também dizem que criança que obedece torna-se um adulto que se submete a qualquer coisa e em qualquer situação, mesmo que seja maléfico para ele. Será?

Pense em um passarinho que acabou de nascer. Ele está dentro no ninho porque precisa de aconchego, calor, segurança e proteção. Ele precisa permanecer ali enquanto recebe o alimento que sua mãe lhe traz, alimenta-se e se desenvolve, até que suas penas cresçam e ele se torne forte o suficiente para bater as suas asas e poder voar. O fato de o passarinho nascer no ninho não significa que ele desejará estar lá para sempre; significa que, naquele momento, dentro das suas condições naturais, ele precisa de cuidados intensivos e um ambiente propício para que não seja ferido, devorado ou desfaleça.

Entendo que muitas vezes, equivocadamente, pais estabelecem regras e limites como pilar principal de toda a educação dos seus filhos. Acreditam que educar é apenas condicionar uma criança a não infringir uma regra. Como já falamos, não nos basta condicionarmos um menino a fazer isso ou aquilo se ele não for ensinado sobre valores e princípios envolvidos nas decisões.

Gosto da frase poética de que mães precisam ser pouso, e não gaiola. Concordo plenamente. Nossos filhos precisam saber que nossos conselhos são sábios, que nosso carinho não tem prazo de validade e que em nós sempre haverá amor à disposição. Entretanto, enquanto eles ainda não sabem voar com segurança, melhor que fiquem debaixo das nossas asas. Mesmo não sendo o ponto central da educação de filhos, limites são absolutamente necessários. Crianças não têm critérios; em muitas e muitas situações, elas não fazem a mínima ideia de qual seria a melhor escolha a fazer. É claro que elas precisam ser ensinadas a lidar com as suas próprias escolhas e a tomar decisões, mas enquanto elas ainda não sabem, é cruel deixá-las livres para agirem por si mesmas.

UM LIMITE, QUANDO BEM APLICADO, NÃO SINALIZA FALTA DE GRAÇA, MAS AMOR E PROTEÇÃO. LIMITE NÃO É O ANTÔNIMO DE LIBERDADE; A ESCRAVIDÃO É.

Uma criança que dorme no berço não se tornará um adulto que só dorme com grades ao lado da sua cama. Todavia, ela estará segura para não cair e se machucar enquanto ainda não tem habilidade suficiente para se manter sobre o colchão durante uma noite inteira de sono.

Se você apostasse uma corrida em um terraço sem paredes de um prédio de vinte andares, você correria com todas as suas forças, tranquila e cheia de vontade de vencer? Com certeza não. Você correria pensando mais no momento certo de parar para não despencar lá de cima do que focada em alcançar o seu potencial máximo de velocidade. Um limite, quando bem aplicado, não sinaliza falta de graça, mas amor e proteção. Limite não é o antônimo de liberdade; a escravidão é. Por isso, não podemos pensar que limite é escravidão. De fato, escravidão não combina com relacionamento entre pais e filhos. Escravidão não combina com amor. É perfeitamente possível você estabelecer limites sem ser autoritária, carrasca, manipuladora e punitiva. É por isso que precisamos de sabedoria e amor.

COMUNICANDO LIMITES

Fala com sabedoria e ensina com amor.
Provérbios 31.26

A mulher de Provérbios 31 tem muito a nos ensinar. Ela fazia o que era preciso ser feito. O versículo 26 nos mostra o modo como ela se relacionava com seus filhos. Não era na brutalidade e rispidez, mas com sabedoria e amor.

Existem algumas coisas que precisamos saber quando se trata de estabelecer limites dentro do seu lar:

1. **Existem limites negociáveis e limites inegociáveis.**

Alguns valores dentro do seu lar precisam ser absolutos. Em contrapartida, para muitas outras coisas, podemos ser flexíveis. Se você quiser estabelecer regras e limites para tudo, você mesma vai se perder sobre o que estabeleceu. Quando os pais fazem regras demais, os filhos não as cumprem, porque ninguém consegue se lembrar de todas elas, às vezes nem os próprios pais.

Desafio você a pegar um papel e escrever quais são os valores inegociáveis dentro do seu lar. Se nem você mesma sabe, não espere que seus filhos saibam e respeitem isso. Valores inegociáveis vão estabelecer limites inegociáveis. Por exemplo, um dos valores inegociáveis na minha família é o respeito. Se em algum momento meus filhos me desrespeitarem ou desrespeitarem alguém, eles saberão que ultrapassaram um limite que nunca pode ser quebrado. É importante esclarecer aqui que eles também são ensinados que respeitar não é sempre concordar ou deixar com que os outros façam o que quiserem.

Outro limite inegociável é a honra aos pais. Meus filhos sabem e sempre saberão o quanto a desonra não será tolerada por nós.

Limites de valores inegociáveis não mudam e permanecem sempre. Mas esses não são os únicos limites necessários dentro do lar. Às vezes, precisamos estabelecer limites pontuais, que não são vitalícios, mas nem por isso menos importantes.

Existem coisas que podem e devem ser mudadas com o tempo ou dependendo da situação. Por exemplo, se você tem um filho de três anos na sua casa, é importante que ele saiba que não deve pegar as facas da gaveta da cozinha. Entretanto, isso não será um problema daqui a quinze anos. Um limite completamente necessário hoje pode ser perfeitamente descartável daqui alguns anos. Na medida que as crianças crescem, o que se espera é justamente que os limites diminuam.

Outro exemplo: talvez seus filhos saibam que não devem assistir à TV pela manhã, mas um dia, por determinado motivo, seu filho quer muito assistir a um programa que seus amigos comentaram. Não haverá reprises, e você achou o seu argumento realmente coerente. Não seja tão dura a ponto de amar mais os limites do que o relacionamento com seu filho. Se realmente ele tem um bom motivo para abrir uma exceção, a programação é especial e aquilo não atrapalhará em nada os valores inegociáveis dentro do seu lar, por que não permitir isso naquele dia? Você não será desqualificada do título de mãe do ano por causa dessa flexibilidade na rotina do seu filho.

Ter sabedoria é justamente saber a maneira de agir em cada situação.

2. Combinados podem ser muito úteis.

Digo para minhas alunas que limites são um conjunto de regras e combinados. Regras sempre são inegociáveis para aquele momento. Combinados mudam de acordo com as situações.

Combinados são estipulados em conjunto com a criança e faz com que ela seja mais colaborativa para cumprir. Quando você faz combinados com a criança, você a prepara para que ela saiba lidar melhor com as limitações que ela vai encontrar.

Se você combinou com seu filho que ele vai assistir apenas a um desenho, e depois ele mesmo vai desligar ou, caso contrário, no outro dia ele não assistirá a nenhum outro, ele vai reagir muito melhor para desligar a televisão ao término do desenho do que se você apenas tomasse o controle da sua mão.

Se vai ao parquinho e leva duas sacolas de brinquedos já combinando com seu filho que uma ele emprestará para seu vizinho caso o encontre ali, será muito mais fácil de a criança compartilhar seus brinquedos do que se nada tivesse sido combinado.

Fazer combinados não é ser permissiva. Com certeza, a mulher de Provérbios 31 fazia muitos e muitos combinados.

3. Regras e limites devem ser claramente comunicados ao seu filho.

Você deve ter conhecimento do texto de Efésios 6.4, que diz para os pais não irritarem seus filhos. Não tenho dúvidas de que uma das maneiras mais frequentes que pais irritam os filhos é os repreendendo por eles quebrarem regras que eles desconheciam.

Se você já foi punida por fazer algo que não fazia a mínima ideia de que não podia fazer, você sabe do que eu estou falando.

Esteja sempre certa de que seus filhos saibam as regras da sua casa. E faça isso em momentos oportunos. Não adianta você tentar comunicar limites quando seu filho está chorando, bravo ou no meio de uma crise de birra. Também não adianta fazer isso quando seu filho está no mundo da lua.

4. Limites não são superproteção e manipulação.

Precisamos educar nossos filhos para que eles saibam viver na nossa ausência, e eu sei o quanto isso pode ser difícil.

Uma vez eu assisti a um vídeo encantador de dois irmãos tentando subir na cama elástica. O irmão mais velho fazia de tudo para subir a irmãzinha, que não tinha altura suficiente para entrar sozinha. Mas o "grande" irmão mais velho não era tão grande assim, o que tornou o vídeo muito bonitinho.

Quando eu terminei de assistir, fiquei pensando que eu nunca aguentaria ser a mãe que filmou os seus filhos; eu certamente iria largar o meu celular e correr para ajudá-los. Os dois poderiam cair e se machucar. Porém, aquela mãe só registrou a cena de cumplicidade e generosidade entre seus filhos porque deu espaço para que eles pudessem agir assim.

Confesso que aquele vídeo me mudou como mãe. Fiquei pensando quantas vezes, pela minha superproteção, eu talvez tenha poupado meus filhos de brincar e de viver. Precisamos buscar um equilíbrio para que nossos filhos tenham a liberdade que precisam para aprender e se desenvolver. Como a famosa reflexão nos ensina, navios ficarão mais seguros se permanecerem no porto, mas não foi para isso que eles foram criados.

Na Criação Bíbliacompatível, confiamos que Deus está guardando nossos filhos em todo tempo, mas também sabemos que estabelecer limites é uma expressão de graça e amor.

CAPÍTULO OITO

FUNDAMENTOS
DA DISCIPLINA

> Vocês se esqueceram da palavra de ânimo que ele lhes dirige como a filhos: "Meu filho, não despreze a disciplina do Senhor, nem se magoe com a sua repreensão, pois o Senhor disciplina a quem ama, e castiga todo aquele a quem aceita como filho".
>
> **Hebreus 12.5,6**

Posso quase afirmar que você adquiriu este livro com muita vontade de abrir neste capítulo e começar direto por esta página. Se assim você fez, eu quero encorajá-la a voltar até o primeiro capítulo e ler tudo aquilo que construímos até agora. Uma Criação Bíbliacompatível vai muito além da correção do comportamento das crianças. Não deixei este capítulo nesta parte do livro por acaso. Mas se você já percorreu todo o caminho que trilhei, vamos avançar.

Não existe criação de filhos à luz da Bíblia sem disciplina. A Bíblia é clara em dizer que o Senhor nos disciplina devido ao seu amor, e essa deve ser exatamente a nossa razão. Quem ama seu filho não abre mão de fazer o que for preciso para aperfeiçoá-lo e encorajá-lo.

No próximo capítulo, falaremos de questões mais práticas, porém existem alguns princípios bíblicos relacionados à disciplina que precisam estar bem claros antes de falarmos dela própria. Vou chamá-los de fundamentos da disciplina.

1. Disciplinar os filhos não é uma opção; é uma responsabilidade dos pais.

> *O que retém a vara odeia o seu filho; quem o ama, este o disciplina desde cedo.*
>
> **Provérbios 13.24 – NAA**

Quem ama disciplina desde cedo (mais para frente voltarei a abordar sobre a vara).

Muitas mães me relatam que se sentem acusadas e condenadas por precisarem corrigir seus filhos. Alguns pais quase pedem desculpas por precisarem fazer isso. Outros buscam inúmeras ferramentas da disciplina x ou y para nunca executarem uma ação que possa deixar a criança sentir o desconforto de uma correção.

Avalie comigo: ninguém gosta de ser corrigido e confrontado. Mesmo que saibamos que uma exortação é para o nosso próprio bem, isso nos traz desconforto. Esse é um sentimento esperado e normal. Precisamos lidar com o fato de que as crianças não receberão nossa disciplina com festa, beijos e abraços imediatos. Mas também precisamos lidar com o fato de que não fazemos só o que nossos filhos querem; fazemos o que eles precisam.

Deus não apenas nos aconselha a criar nossos filhos, mas ordena aos pais que eles os disciplinem. É uma questão de fé, obediência e sabedoria.

2. Filiação e medo não podem andar juntos.

> *Pois vocês não receberam um espírito que os escravize para novamente temerem, mas receberam o Espírito que os torna filhos por adoção, por meio do qual clamamos: "Aba, Pai".*
>
> **Romanos 8.15**

> "PRECISAMOS LIDAR COM O FATO DE QUE AS CRIANÇAS NÃO RECEBERÃO NOSSA DISCIPLINA COM FESTA, BEIJOS E ABRAÇOS IMEDIATOS. MAS TAMBÉM PRECISAMOS LIDAR COM O FATO DE QUE NÃO FAZEMOS SÓ O QUE NOSSOS FILHOS QUEREM; FAZEMOS O QUE ELES PRECISAM."

Por muito tempo, bons pais significavam pais severos e temíveis, enquanto pais amorosos e pacientes eram sinônimos de permissividade e fraqueza. No meio cristão, foi propagada a triste ideia de que pais precisam educar seus filhos à base de tapas e dureza. Entretanto, quando olhamos para a Bíblia, de Gênesis a Apocalipse, vemos o quanto esse não era o relacionamento que Deus desejou construir com seus filhos. Então por que nós deveríamos agir assim dentro do nosso lar? Esse texto de Romanos revela o perfil de Pai que nosso Deus conquistou na cruz. Ele nos adota como filhos e nos ensina a chamá-lo de "Aba Pai".

Já estive em Israel por duas vezes e observei o quanto é comum as crianças chamarem os seus pais de "Aba". Essa não é uma expressão arcaica e distante, mas realmente uma palavra usada para um relacionamento íntimo e amoroso entre um filho e seu pai. Poderíamos traduzir como "meu papai querido".

Observando esse texto bíblico, vemos que Deus não nos adota para termos medo e nos sentirmos escravizados, mas para sermos amados. Filiação e medo não combinam.

Precisamos nos relacionar com nossos filhos de tal maneira que eles saibam o quanto são amados. Seu filho não pode ter medo de você, mas precisa ter a segurança de poder contar com você sempre que precisar e em todas as situações.

3. Crianças precisam aprender a obedecer.

> *Embora sendo Filho, ele aprendeu a obedecer por meio daquilo que sofreu [...].*
>
> **Hebreus 5.8**

Com certeza, o recorde de queixas que eu recebo é sobre desobediência. A maioria das mães não sabe lidar com o fato de que as crianças precisam aprender a obedecer.

Algumas acham que isso é desnecessário, que basta que a criança seja colaborativa e saiba respeitar seus pais como fazem com qualquer outra pessoa. Essa é uma grande tacada do Diabo para levantar uma geração de pessoas que não sabem obedecer a Deus e muito menos entendem sobre o princípio da autoridade. Se elas não souberem lidar com comandos e ordens dos seus pais, como esperar que elas saibam ouvir direções e obedecer ao Senhor? Se elas nunca forem ensinadas sobre a autoridade dos pais, como entenderão sobre a autoridade de Deus?

É claro que também é importante que a criança desenvolva certa autonomia e é indispensável ensiná-la a tomar decisões. Ainda falaremos mais sobre isso, mas como já disse, crianças não têm critérios sobre muitas coisas; é imprudente e tolo deixá-las decidir como bem entendem.

Além disso, outras mães também não sabem lidar com o fato de que a obediência precisa ser aprendida. Crianças não nascem com a habilidade de obedecer, tampouco aprendem na primeira vez que ensinamos. A Bíblia diz que Jesus precisou aprender a obedecer; por que nossos filhos não precisariam, não é?

Crianças precisam aprender a obedecer (e muitas outras coisas), e a aprendizagem é consolidada com muita repetição. É como uma trilha no meio de uma mata nativa. A primeira vez que alguém desbrava aquele caminho é muito desafiador, mas à medida que outras pessoas vão passando por aquele rastro, o percurso vai ficando cada vez mais fácil, e o caminho, mais nítido. É por isso que a Bíblia ensina os filhos sobre a obediência, a perseverarmos no ensino, a não desistirmos nem nos cansarmos.

Filhos, obedeçam a seus pais no Senhor, pois isso é justo.
Efésios 6.1

> *E não nos cansemos de fazer o bem, porque no tempo certo faremos a colheita, se não desanimarmos.*
> **Gálatas 6.9 – NAA**

O quarto fundamento que eu vou expor talvez seja uma das verdades mais importantes deste livro. Não se assuste com o título e leia atentamente até o fim. Lembre-se de que nosso ensino é completamente bíblico e o alvo da Criação Bíbliacompatível sempre será Jesus.

4. A conexão de amor deve estar acima da obediência.

Essa é uma afirmação que assusta e choca os cristãos. Temos a tendência de colocar a obediência no maior patamar das nossas exigências. De maneira nenhuma quero minimizar a importância da obediência, por isso falei do quanto ela é importante. Contudo, quero fazer você pensar se realmente a obediência é a chave mais preciosa que uma mãe pode ter. A melhor maneira de fazer você refletir sobre isso é meditando no seu relacionamento com Deus. Antes de você ser mãe, você é filha, e sempre precisa se lembrar disso. Nos próximos parágrafos, vou levá-la a uma reflexão profunda que, por um instante, pode parecer que nada tem a ver com a educação do seu filho, contudo, por favor, continue atentamente. No momento certo, farei as ligações necessárias para que você compreenda aonde quero chegar.

Se você está lendo este livro, é porque crê na Palavra de Deus. Você sabe que deve obedecer às direções que o Senhor nos dá e o quanto precisa sempre fazer o que é certo, santo e puro. Eu também sei que, assim como eu, você muitas vezes erra o alvo. A palavra pecado no original grego é *hamartia*, que significa *errar o alvo*. Você sabe o quanto precisa acertar, mas você erra.

Dentro desse contexto, quero que você me responda: o que é mais importante no seu relacionamento com Deus?

Você acertar sempre ou você saber o quanto é amada mesmo quando falha? Não podemos viver com um medo constante de errar. Pessoas que têm medo de errar acabam errando muito mais.

Suponhamos que você esteja andando por cima de uma viga estreita, mas ela está grudada no chão. Garanto que você se equilibra tranquilamente porque não há grandes problemas em sair da rota. Mas se você precisasse andar sobre essa mesma viga a 50 metros de altura, sem nenhum equipamento de segurança, você certamente se desequilibraria em alguns passos.

A Bíblia revela o quanto nós somos amadas mesmo quando somos falhas. Deus nunca poderia se relacionar com um homem pecador, mas pela sua maravilhosa e poderosa graça estabeleceu um plano para que nós pudéssemos relacionar com ele em paz, mesmo sabendo que nós ainda pecamos.

> *Todavia, Deus, que é rico em misericórdia, pelo grande amor com que nos amou, deu-nos vida com Cristo, quando ainda estávamos mortos em transgressões — pela graça vocês são salvos.*
>
> **Efésios 2.4,5**

A graça de Deus se revelou a nós justamente quando não merecíamos seu amor. Andávamos seguindo as inclinações da nossa carne, estávamos inundados pela lama do pecado. Todavia, Deus, que é rico em misericórdia, fez algo para mudar o nosso destino. Sem nenhum merecimento, apenas crendo na obra poderosa de Jesus, temos acesso a Deus.

A Bíblia nos garante que esse plano foi perfeito e completo a ponto de não depender da nossa performance, mas puramente daquilo que Jesus já fez na cruz. Quando eu falho, posso correr para o Senhor e não preciso me esconder dele.

A maior arma do Diabo para paralisar o crente é trabalhando na sua mente, fazendo-o acreditar que quando ele falha, não é mais amado ou querido por Deus. Muitas pessoas são salvas, porém não conseguem desfrutar da paz que Jesus nos promete por causa das acusações do Diabo.

Quando desenvolvi meu curso de criação de filhos à luz da Bíblia, escolhi o nome *Maternidade com Graça* justamente por perceber o quanto podemos aplicar a graça de Deus na nossa maternidade. E para a glória de Deus, tenho recebido inúmeros testemunhos de mães (e pais) que tiveram esse entendimento espiritual que mudou completamente a visão e o lar deles.

Em Isaías 54, vemos que Deus jurou algo. Deus por acaso precisaria jurar algo? Ele não precisa, ele é a verdade e não tem necessidade de provar nada para ninguém! Apesar disso, ele assim fez para enfatizar seu compromisso com o que estava dizendo.

> *Para mim isso é como os dias de Noé, quando jurei que as águas de Noé nunca mais tornariam a cobrir a terra. De modo que agora jurei não ficar irado contra você, nem tornar a repreendê-la.*
>
> **Isaías 54.9**

A palavra *repreender*, no original, não fala de disciplina e correção, mas de reprovação e condenação. Deus faz questão de jurar que, por meio da Sua aliança, nunca mais seríamos reprovados. Ele quis garantir que teríamos paz mesmo quando nós falhássemos. Hoje, quando olhamos para o arco-íris no céu, podemos nos lembrar desse juramento e saber que não existiu apenas uma aliança com Noé, mas uma nova aliança foi feita na cruz e estamos incluídos nela.

Em Hebreus, existe uma promessa para nós.

> Assim, sendo, aproximemo-nos do trono da graça com toda a confiança, a fim de recebermos misericórdia e encontrarmos graça que nos ajude no momento da necessidade.
>
> **Hebreus 4.16**

Quando recebemos Jesus, tornamo-nos filhos de Deus e podemos nos aproximar do trono dele com toda confiança. Ou seja, não precisamos nos aproximar de Deus com medo ou intimidados. Tampouco precisamos ser 100% perfeitos para desfrutarmos de um relacionamento com ele. Além disso, existe algo que me emociona absurdamente. Em Apocalipse 4.3, vemos que, em volta do trono de Deus, está um arco-íris. Uau! Deus coloca um lembrete da sua aliança em torno do seu trono, um lembrete de que o amor dele sobre nós não depende da nossa performance. Um sinal visível para termos segurança e livre acesso ao seu trono.

Com todas essas verdades expostas, volto a lhe perguntar: o que é mais importante? Você acertar o tempo todo ou saber o quanto é amada mesmo quando falha? E quando se trata do seu relacionamento com seu filho? O que é mais importante? Ele acertar o tempo todo ou ter a absoluta certeza de que é amado mesmo quando erra ou desobedece? Quando você constrói uma conexão de amor com seu filho, você garante que ele sempre lutará pela segurança desse relacionamento. Não importa quantos anos seu filho tenha, o fato de ele saber o quanto é amado sempre vai pesar em seu coração durante as suas decisões e escolhas.

Mais importante do que seu filho acertar sempre é ele saber que pode correr para o seu colo quando errar. Comecei este tópico falando que a obediência não é a chave mais preciosa que você terá em suas mãos, pois certamente não existe chave mais preciosa que o coração do seu filho conectado ao seu. Essa chave abrirá portas para todo ensino e instrução.

TATIANE JOSLIN | 117

Na Criação Bíbliacompatível, sabemos que a disciplina é um ato de amor e obediência a Deus. Contudo, também sabemos que o resultado da disciplina nunca pode ser uma desconexão de amor e medo, porém a criança precisa ter a certeza de que está sendo amada, instruída e cuidada.

DESAFIO

Neste momento, em especial, eu proponho um desafio para você. Faça um "Jantar do Amor" para seu filho. Prepare seu prato e sobremesa favoritos, coloque algumas fotos de vocês, recorte corações e prepare uma surpresa.

Diga para seu filho que você preparou esse jantar especial para mostrar o quanto ele é amado. Após o jantar, faça um lava-pés com seu filho, assim como Jesus fez com seus discípulos em João 13. Talvez seja um momento de pedir perdão e de deixar o Espírito Santo reconstruir todo vínculo que já tenha sido perdido.

Expresse o quanto você o ama mesmo quando ele falha e que sempre o amará. Aproveite para dizer que é exatamente assim que Jesus se relaciona conosco.

> "QUANDO VOCÊ CONSTRÓI UMA CONEXÃO DE AMOR COM SEU FILHO, VOCÊ GARANTE QUE ELE SEMPRE LUTARÁ PELA SEGURANÇA DESSE RELACIONAMENTO. NÃO IMPORTA QUANTOS ANOS SEU FILHO TENHA, O FATO DE ELE SABER O QUANTO É AMADO SEMPRE VAI PESAR EM SEU CORAÇÃO DURANTE AS SUAS DECISÕES E ESCOLHAS."

CAPÍTULO NOVE

A PRÁTICA DA DISCIPLINA

> *E vós, pais, não provoqueis vossos filhos à ira, mas criai-*
> *-os na disciplina e na admoestação do Senhor.*
> **Efésios 6.4 – ARA**

Toda mãe cristã já se sentiu em crise sobre questões relacionadas à disciplina. Coloco de castigo? Tiro o *videogame*? Deixo no cantinho do pensamento? Uso a vara? Falo firme? Falo calma? Demonstro que estou triste? Mostro indiferença? Mostro que me importo? Quebro o brinquedo no meio? Faço limpar? Mando pedir desculpas? Mando dar abraço no amiguinho? Obrigo a compartilhar o brinquedo? Furo a bola? Lavo a boca com sabão?

Já falamos sobre vários princípios bíblicos essenciais. Nessa altura, você já precisa estar convencida de que educar filhos é muito mais do que uma lista de regras que as crianças podem ou não cumprir. Mas o que exatamente é a disciplina? A palavra "disciplina" vem do latim e significa "instrução, conhecimento e matéria a ser ensinada". Ela deriva da palavra *discipulus*, que quer dizer "aquele que aprende", ou seja, o aluno. Depois, ela assumiu o significado de manutenção de ordem.

Muitas pessoas leem a palavra *disciplina* como um sinônimo de agressão física. Precisamos fazer a dissociação disso e entender o que ela realmente significa. Por isso, neste capítulo, iremos para o original bíblico avaliar todas as faces dessa questão tão importante.

Neste momento, farei uma exposição de uma série de versículos. Eu sei que o que você queria mesmo era um método de cinco passos para seu filho não lhe desobedecer mais ou uma receita com cinco ingredientes para seu filho ser definitivamente controlado e educado. Talvez você ficasse muito feliz com a leitura, mas depois se frustraria comigo, porque simplesmente isso não existe. Educar filhos não é uma questão de métodos, receitas e passos milagrosos, mas de princípios, relacionamento e construção. Além disso, o meu grande alvo neste livro não é falar de mim mesma ou lhe apresentar um novo método miraculoso. Meu objetivo é desvendar seus olhos espirituais para as verdades da Palavra de Deus.

De acordo com o Dicionário Bíblico Strong, que enumera as palavras das Escrituras e traz um significado mais próximo ao original, vemos algumas palavras que foram traduzidas como *disciplina*. Vamos compreendê-las:

PAIDEIA

Essa é a palavra bíblica que mais se relaciona com as crianças e que mais é usada dentro do contexto da educação de filhos. É a palavra que está presente nos seguintes textos:

> *E vós, pais, não provoqueis vossos filhos à ira, mas criai-os na* **disciplina** **[paideia]** *e admoestação do Senhor.*
>
> **Efésios 6.4 – ARA – Acréscimo da autora**

EDUCAR FILHOS NÃO É UMA QUESTÃO DE MÉTODOS, RECEITAS E PASSOS MILAGROSOS, MAS DE PRINCÍPIOS, RELACIONAMENTO E CONSTRUÇÃO.

> *Suportem as dificuldades, recebendo-as como **disciplina** **[paideia]**; Deus os trata como filhos. Ora, qual o filho que não é disciplinado por seu pai?*
> **Hebreus 12.7 – Acréscimo da autora**

Nesse texto de Hebreus, a palavra "disciplinado" aparece como um verbo de *paideia*: é a palavra *paideuo*, que significa "treinar crianças, instruir, levar alguém a aprender, corrigir com palavras".

Portanto, de início já percebemos que disciplinar uma criança não significa bater nela e conduzi-la na base de ameaças e bofetadas. Disciplinar não é ser truculenta e carrasca, mas é realmente nos importar e guiar as crianças para que elas recebam a aprendizagem que é necessária.

Contudo, precisamos ser cuidadosas para que não confundamos as coisas. A palavra *paideia* também aparece neste outro texto, revelando que nem sempre a disciplina é algo momentaneamente acompanhada de uma explosão de alegria e conforto. Em alguns momentos, ela não se apresentará como um motivo de alegria, mas terá bons resultados:

> *Nenhuma **disciplina [paideia]** parece ser motivo de alegria no momento, mas sim de tristeza. Mais tarde, porém, produz fruto de justiça e paz para aqueles que por ela foram exercitados.*
> **Hebreus 12.11 – Acréscimo da autora**

Os métodos de criação deste mundo argumentam que, diante de uma correção, a criança nunca deve se sentir triste ou abatida. Quero deixar muito claro que não estou dizendo sobre humilhações e constrangimentos. Mas na Criação Bíbliacompatível, precisamos lidar com o fato de que, muitas vezes, as crianças se sentirão tristes ao serem disciplinadas. A questão é que a disciplina correta e bem aplicada produzirá frutos de justiça e de paz. É exatamente o que apóstolo Paulo diz:

> *A tristeza segundo Deus não produz remorso, mas sim um arrependimento que leva à salvação, e a tristeza segundo o mundo produz morte.*
> **2 Coríntios 7.10**

Não podemos comparar a tristeza da disciplina orientada por Deus com a tristeza do mundo, que leva à morte. Algumas vezes, no processo de ensino e correção dos nossos filhos, eles se sentirão tristes e desapontados, porém, de maneira alguma isso significa que tomamos uma atitude errada ou prejudicial para a criança. O fato de a minha filha ter surtado quando perdeu o salgadinho não significa que eu deveria ter deixado ela comer todo o pacote antes do almoço; aquilo não faria bem a ela.

Você não pode permitir que seu filho dê um chute na canela do vizinho só porque ele perdeu o jogo. Por mais que seu filho fique completamente triste, ele precisa aprender a lidar com as derrotas. Além disso, a frustração é essencial para o desenvolvimento da criança. Elas precisam saber que nem sempre terão o que desejam ou precisam.

HUPOTAGE

Essa palavra aparece uma única vez.

> [...] *que governe bem a própria casa, criando os filhos sob **disciplina**, com todo o respeito* [...].
> **1 Timóteo 3.4 – ARA**

O contexto desse versículo é uma instrução para bispos e diáconos. A Bíblia diz que um homem de Deus precisa ser irrepreensível, esposo de uma única mulher, controlado, sóbrio, modesto, apto para ensinar, e a lista continua com outras características. O que quero destacar são duas coisas. Primeiro, "que governe bem a própria casa, criando os filhos sob disciplina". Essa palavra "disciplina" no original é *hupotage*. Ela significa "ato de sujeitar, obediência e sujeição". É a mesma palavra que Paulo usa em 1 Timóteo 2.11, quando diz que a mulher deve se submeter.

Acrescentamos aqui mais um importante aspecto da disciplina bíblica: nossos filhos devem se submeter a nós. A submissão das crianças é justamente o contrário de deixá-las viver sem receber comandos. A criação deste mundo ensina que não devemos dar ordens aos filhos, apenas fazer pedidos com cordialidade. Porém, esse aspecto sob a perspectiva bíblica da disciplina nos revela que é preciso existir ordem e submissão. Muitas vezes, será apropriado, e até oportuno, fazermos pedidos (falarei sobre isso na sequência), mas isso não significa que comandos são maléficos e desnecessários. Crianças precisam aprender a dominar as suas vontades, e isso deve ser ensinado e aperfeiçoado no processo e no treinamento da submissão.

A segunda coisa que quero destacar é sobre o respeito. Quando Paulo diz sobre governar bem a sua casa, ele finaliza dizendo que precisamos fazer isso com todo o respeito, algo completamente essencial para a harmonia do lar. Entretanto, quero enfatizar: o respeito é para todos. Não apenas os pais precisam ser respeitados, mas os filhos também. Muitas guerras são travadas dentro do nosso lar por conta da falta de respeito dos adultos pelas crianças.

Um dia, eu fui almoçar fora e levei o tênis que calçaria na minha filha para levá-la à escola após o almoço. Ela quis ir de sandália, e eu permiti, sob a condição de que depois trocaríamos de calçado. Quando eu fui colocar o tênis, ela me questionou: "Mas, mamãe, você não trouxe a palmilha;

ele machuca!". Volte nessa frase e leia com a entonação de uma criança bem frustrada e chorosa. Nesse momento, eu poderia dizer: "Filha, você quis vir de sandália, não invente moda; enfie esse tênis e vamos logo, sem reclamar!". Pronto, começaria a guerra. Eu percebi o pavio encurtando e me lembrei de que precisaria manter o meu respeito. Se eu tivesse feito a mesma coisa com uma amiga, será que eu falaria de forma grosseira com ela? Será que eu diria: "Já fiz um favor pra você, não reclama!"? Com certeza não. Eu respondi: "Filha, me perdoe, realmente está sem palmilhas. A mamãe errou e as deixou no varal. Você me perdoa?". O semblante dela mudou, e ela me disse imediatamente: "Ah, mamãe, acontece, ainda bem que você trouxe essas meinhas. Está tudo certo!". Isso acontece sempre? Não! Mas a chance de as coisas se resolverem quando existe respeito de ambos os lados é imensamente maior.

Talvez, pessoas com pensamentos mais severos, ao verem a cena, possam pensar que isso é ser mole demais. Eu penso que é sabedoria. Prefiro edificar meu lar com respeito e manter a conexão do coração da minha filha junto ao meu.

MÛCAR

Essa é a palavra que mais aparece na Bíblia para expressar disciplina. Ela é mencionada exatamente cinquenta vezes. Também aparece traduzida no português como "instrução, ensino, repreensão ou castigo". É a palavra original nos versículos mais famosos sobre o assunto:

> Meu filho, não despreze a **disciplina [mûcar]** do Senhor nem se magoe com a sua repreensão, pois o Senhor disciplina a quem ama, assim como o pai faz ao filho de quem deseja o bem.
> **Provérbios 3.11,12 – Acréscimo da autora**

> Todo o que ama a **disciplina [mûcar]** ama o conhecimento, mas aquele que odeia a repreensão é tolo.
> **Provérbios 12.1 – Acréscimo da autora**

> O que retém a vara aborrece a seu filho, mas o que o ama, cedo, o **disciplina [mûcar]**.
> **Provérbios 13.24 – ARA – Acréscimo da autora**

> A estultícia está ligada ao coração da criança, mas a vara da **disciplina [mûcar]**, a afastará dela.
> **Provérbios 22.15 – ARA – Acréscimo da autora**

> Não retires da criança a **disciplina [mûcar]**, pois, se a fustigares com a vara, não morrerá.
> **Provérbios 23.13 – ARA – Acréscimo da autora**

Na sua essência, a palavra hebraica *mûcar* significa disciplina, correção e castigo. É essa palavra que está relacionada à polêmica "vara". Ela nos revela que, além de instrução e ensino, a disciplina muitas vezes envolve correção e, se for preciso, o castigo. Observe que não falei de punição isolada por causa de um erro. Algumas pessoas ensinam que crianças precisam ser punidas quando falham, mesmo que haja arrependimento genuíno; não é esse o caso. *Mûcar* é exatamente a palavra usada em Isaías 53 quando a Bíblia diz que o "castigo que nos traz a paz estava sobre ele". Porém, isso não significa que nunca mais precisaremos aplicar o *mûcar* na educação das crianças.

O texto de Provérbios 22.15 nos dá uma chave muito especial: a estultícia está ligada ao coração da criança, mas a vara da disciplina a afastará dela. Realmente, não existe um só texto que nos ensina a castigar uma criança por conta de um erro do seu comportamento. Entretanto, vemos a necessidade de afastar a estultícia do seu coração.

Aqui, veremos duas relações importantes. A primeira é que, com toda certeza, a disciplina bíblica abrange significados que vão muito além da vara. Contudo, a vara na Bíblia está diretamente relacionada à "disciplina *mûcar*". Além das duas palavras que já vimos, vemos outras três: tôkechah (Provérbios 1.23), que significa "repreensão e argumento", *yacar* (Deuteronômio 8.5), que significa "instrução e admoestação", e *yakach* (2 Samuel 7.14), que significa "reprovação".

A palavra "disciplina", quando é usada na orientação aos pais para o uso da vara, não é a "disciplina *paideia*" nem a "disciplina *hupotage*". Também não está ligada à "disciplina *tôkechah*" nem à "disciplina Yacar". E para finalizar, não se relaciona com a "disciplina Yakach", pois embora esta última se pareça com o uso da vara, trata-se de quando ela é usada por Deus. Apesar de todas essas palavras traduzidas para o português como "disciplina" se aplicarem perfeitamente à educação de filhos, não podemos negar que a orientação bíblica do uso da vara está relacionada ao aspecto de disciplina *mûcar*.

Encaixando todas essas informações, podemos concluir que disciplina não se restringe apenas à vara. Porém, não podemos negar que a vara aparece relacionada à palavra hebraica que mais expressa a correção e o castigo.

A palavra *vara* no original é *shebet*, que literalmente se tratava do "bordão do pastor", ou seja, do apetrecho que ele usava para conduzir as ovelhas. Muitos argumentam que essa palavra apenas é um símbolo de autoridade e não se trata de uma aplicação física sobre a criança. Essas pessoas defendem que, na Bíblia, disciplina é apenas instrução, correção e ensino.

Historicamente, sabemos que os pastores cuidavam das ovelhas com muito cuidado, zelo e amor, mas se fosse necessário, eles usavam o *shebet* para trazê-las de volta à rota.

Como acabamos de avaliar, a "vara" se relaciona diretamente à palavra no original bíblico que mais relaciona a disciplina com o castigo.

Finalmente, vemos em alguns textos a vara sendo apresentada adicionalmente à correção verbal, como é o caso de Provérbios 29.15, ou relacionada a uma ação física, como em Provérbios 23.13.

A segunda relação importante é que a vara aparece para corrigir o *coração*, e não o *comportamento* errado. A Bíblia diz que a vara afasta a estultícia do coração da criança. Aqui, dedicarei um tópico especial e retornaremos posteriormente com a conclusão da vara. (Por favor, não pare por aqui, porque senão terá conclusões erradas.)

ESTULTÍCIA DO CORAÇÃO

Neste ponto, podemos unir todo o ensino da disciplina com o que já vimos nos capítulos anteriores. O centro da nossa vida é o nosso coração.

> *Sobre tudo o que se deve guardar, guarda o coração, porque dele procedem as fontes da vida.*
> **Provérbios 4.23 – ARA**

Quando estamos diante de um mal comportamento dos nossos filhos, sempre precisamos avaliar o que está em seu coração. Você se lembra de que não basta arrancarmos os frutos se não mudarmos a raiz? Isso se aplicará em todos os comportamentos. A pressa, o cansaço e a distração muitas vezes nos atrapalham de investigar o coração dos nossos filhos. Quero fazer você pensar o quanto perdemos oportunidades de formar o caráter dos nossos filhos quando deixamos de fazer os ajustes necessários em seu próprio coração.

É realmente muito difícil lidar com os erros do seu filho se você não conseguir avaliar e perceber o que está por trás de cada ação. Contudo, é revolucionário descobrir isso e tratarmos pontualmente a motivação que deu origem àquela atitude.

> É REALMENTE MUITO DIFÍCIL LIDAR COM OS ERROS DO SEU FILHO SE VOCÊ NÃO CONSEGUIR AVALIAR E PERCEBER O QUE ESTÁ POR TRÁS DE CADA AÇÃO. CONTUDO, É REVOLUCIONÁRIO DESCOBRIR ISSO E TRATARMOS PONTUALMENTE A MOTIVAÇÃO QUE DEU ORIGEM ÀQUELA ATITUDE.

Danny Silk, em seu livro *Loving your kids on purpose*, compartilha uma história do autor Steven Covey que marcou meu coração. Ele conta que certo dia, ao retornar do trabalho de metrô, estava muito cansado e tudo o que queria era descansar até chegar em sua casa. Mas em certa estação surgiu um homem com quatro filhos. Eles estavam bem agitados, correndo de um lado a outro, não paravam nenhum segundo e azucrinavam a todos. Ele lembra que ficou muito incomodado, principalmente com a passividade daquele pai, que parecia não se importar e não tomava nenhuma providência para manter a ordem do vagão. Steven não se conformou e foi falar com aquele homem, tamanha era sua indignação. Quando o pai levantou seus olhos, ele pediu perdão, dizendo: "Desculpe-me! Estamos voltando do hospital! A mãe deles acabou de falecer. Eu acho que eles não estão sabendo lidar com isso!". Naquele momento, o autor conta que toda sua revolta se transformou em compaixão e ele mesmo se propôs a ajudar com as crianças.

Quando pudermos investigar o coração dos nossos filhos e descortinarmos as razões por trás dos comportamentos, certamente saberemos lidar muito melhor com as situações.

Crianças têm necessidades especiais que, quando não atendidas, podem ser reveladas por comportamentos desafiadores. Às vezes, seu filho está gritando sem limites porque está clamando pela sua atenção. Às vezes, ele está agindo com violência ou brutalidade porque quer se sentir notado. Às vezes, sua filha anda fazendo muitas e muitas bagunças na tentativa de se sentir útil e se sentir pertencente. Porém, biblicamente falando, em alguns momentos será a estultícia reinando em sua natureza pecaminosa.

A palavra estultícia significa insensatez. Entretanto, ela não se apresenta na Bíblia apenas como imaturidade da criança, mas se revela como a loucura e tolice ligadas ao pecado. Vemos em Provérbios 24.9 que os desígnios do insensato é o pecado. Perceba que é pecado no singular; não fala dos frutos do pecado, mas da natureza do pecador.

Muitas vezes, perceberemos a criança obstinada em seu pecado, com o coração inclinado para sua rebeldia e maldade. Como, por exemplo, quando a criança se coloca com uma postura afrontosa e diz: "Você não manda em mim!". Nesse momento, elas precisam ser conduzidas para que sejam livres de toda estultícia do seu coração. Não podemos tratar um "eu empurrei ele mesmo porque eu quis machucá-lo" do mesmo jeito que trataríamos um empurrão fruto de um impulso e calor do momento.

Eduque seu filho para que ele seja sempre conduzido ao arrependimento e perceba o quanto ele precisa de Jesus. Mas creio que não podemos perder o governo do nosso lar durante esse processo.

Vemos um grupo de pessoas que idolatra o uso da vara, coloca a vara no trono da educação do seu filho, roubando toda a glória da ação do Espírito Santo na sua transformação. Não penso que o uso da vara é uma obrigatoriedade para todos os pais.

Entristeço-me em ver cristãos levantando a bandeira de que não existe educação de filhos sem punição física. Gostaria de vê-los defendendo a poderosa obra da cruz tanto quanto defendem o uso da vara. Além disso, muitos pais fazem o uso da correção física para extravasar a sua própria raiva e frustração.

Em contrapartida, não podemos demonizar o uso da vara. Todos os grandes teólogos que esmiuçaram o assunto concordam com o fato de que existe o ensino bíblico e que nada tem a ver com a crueldade dos pais.

Eu creio que esse é um assunto que Espírito Santo concluirá em seu coração. Mas finalizo convidando-a a avaliar dois textos de 1 Coríntios:

> *Porque o Reino de Deus não consiste em palavras, mas em poder. Que quereis? Irei ter convosco com vara ou com amor e espírito de mansidão?*
> **1 Coríntios 4.20,21 – ARA**

A palavra "poder" no original é *dunamis*, que significa poder, força e habilidade. É exatamente o que precisamos para manter o espírito de mansidão.

> *Portanto, procurai com zelo os melhores dons; e eu vos mostrarei um caminho mais excelente.*
> **1 Coríntios 12.31 – ACF**

Existem recursos humanos que podem ser usados. Porém, precisamos crer que existe um caminho mais excelente, que é o amor *ágape*, o amor de Deus. Na cultura do reino de Deus, nada é mais importante do que um relacionamento de amor.

> *Se me amais, guardareis os meus mandamentos.*
> **João 14.15 – ARA**

Lembre-se sempre de algo: quando seu filho menos merece graça, é quando ele mais precisa.

ENSINE SEU FILHO A AMAR A DISCIPLINA

Vimos que disciplina também envolve instrução, ensino e conselho. Gostaria de finalizar esse assunto fazendo você crescer em sabedoria nesse aspecto. Na verdade, poderia escrever um livro apenas sobre esse último tema. Mas vou expor ao seu coração o que eu julgo ser mais importante.

Costumo assimilar a imagem de disciplina com o fato de pegarmos nas mãos dos nossos filhos e conduzi-los pelo caminho correto. Perceba que é o oposto de feri-lo porque ele cometeu um erro.

No primeiro versículo de Provérbios 12, vemos que quem ama a disciplina ama o conhecimento. Você crescerá em autoridade no seu lar quando seu filho entender que é responsável pelas suas próprias ações, precisar lidar com elas e encontrar em você um conselho sábio. Um dos nossos objetivos precisa ser levar as crianças a quererem ouvir o que temos a dizer e a amarem a nossa instrução.

Quanto mais as crianças crescerem, menor poder físico nós teremos sobre elas. Em contrapartida, é esperado que tenhamos mais influência. Se assumirmos todas as decisões das crianças e as deixarmos apenas viver dependendo das nossas ordens ou restrições, não desenvolveremos nelas crianças a capacidade de lidar com o peso das suas ações.

Aconselho muitos pais que perderam o coração dos seus filhos quando eles se tornaram relativamente independentes e pouco se importavam com as consequências dos seus atos.

Mas, na prática, como podemos trabalhar esses aspectos da disciplina nos nossos filhos?

1. Não assuma todas as suas responsabilidades.

Nós mães nunca queremos que nossos filhos sejam lesados. Por conta disso, sempre damos um jeito de arrumar "a bagunça" que a criança criou. Se ela esquece de pedir para comprar a cartolina que precisava levar na escola, no outro dia você se atrasa no trabalho, mas leva, porque ela não pode perder a nota. Se ela não organiza os livros que o seu pai pediu, você corre para fazer por ela, porque sabe que ela, vai acabar sendo penalizada. Se ela não quer vestir a blusa, você leva o casaco e coloca sobre ela no primeiro ventinho. Claro que somos protetoras e cuidadoras,

> Você crescerá em autoridade no seu lar quando seu filho entender que é responsável pelas suas próprias ações, precisar lidar com elas e encontrar em você um conselho sábio. Um dos nossos objetivos precisa ser levar as crianças a quererem ouvir o que temos a dizer e a amarem a nossa instrução.

porém, inúmeras vezes, será necessário permitir consequências para que seu filho aprenda a escutar a sua instrução ou ser aperfeiçoado naquela área. Você não precisa deixar seu filho congelar nem pegar um resfriado, mas talvez você possa aguardar cinco minutos para entregar a sua jaqueta no carro.

2. Cuidado com recompensas e punições.

Não eduque seu filho para que ele aja apenas pensando em ganhar algo ou com medo do castigo. Gosto de usar o exemplo do burrinho de carga. Para que ele ande mais rápido, ele precisa de algumas chicotadas no seu traseiro. Ele também se motiva a sair do lugar quando anda em busca da cenourinha que na verdade está fixada por meio de uma haste a alguns metros de seus olhos. Na verdade, o burrinho anda por conta das chicotadas e da cenourinha; não faz a mínima ideia para onde está indo e por que saiu do lugar.

Você não quer criar um burrinho, não é? Você não quer que seu filho aja cordialmente apenas para ganhar uma estrelinha. E quando a estrelinha não vier mais? Qual será sua motivação? Também não quer que ele apenas se mova com medo do castigo. Recompensas e castigos proporcionais e bem pensados podem ser válidos, mas não podem guiar a educação do seu filho.

3. Faça com que ele deseje ouvir sua voz.

> *Ouça, meu filho, a instrução de seu pai e não despreze o ensino de sua mãe. Eles serão um enfeite para a sua cabeça, um adorno para o seu pescoço.*
> **Provérbios 1.8,9**

No seu dia a dia, tome o cuidado de agir com maturidade e demonstrar sabedoria e segurança. Nada como filhos que desejam ouvir o que seus pais têm a dizer.

Há alguns meses, minha filha encontrou um pacote de guloseimas. Ela me pediu para comer uma, e eu deixei. Depois, ela pediu para comer mais uma, eu disse que era só mais aquela. Alguns minutos depois, ela apareceu implorando para que eu desse só mais uma. Ela prometeu que, dessa vez, seria a última (já viu essa cena?). Na terceira vez, eu disse que não iria decidir mais por ela. Ela tinha apenas quatro anos, mas eu percebi que ela já tinha condições de ser ensinada sobre aquela escolha: "Filha, não vou decidir mais por você; mamãe já disse que isso faz mal à sua saúde, não faz bem comer isso agora. Estou cuidando da sua saúde, agora você escolhe!". Ela ficou insistindo que quem deveria falar se ela poderia ou não comer era eu: "Não, mamãe, eu não, você me diz, posso? Posso? Posso? Posso?". Eu continuei dizendo que ela precisaria escolher. Claro que se ela pegasse as gomas de minhoca e "fizesse a festa" eu precisaria intervir, mas não foi o que aconteceu. Ela não comeu, mas continuou implorando pelo meu conselho. Eu finalmente disse: "Então eu vou lhe dizer: você não deve comer mais, vai lhe fazer mal". Ela me agradeceu, guardou o pacote e foi brincar.

Relacione-se com seu filho de maneira que o seu conselho seja como enfeite para sua cabeça e adorno para seu pescoço.

4. Transforme castigos em condução das escolhas.

Existe uma pequena mudança de abordagem que potencializa muito a maneira como a criança pensa sobre suas ações e recebe suas consequências.

Em vez de avisá-la sobre o castigo que ela terá, deixe claro qual será a consequência de cada escolha. Parece a mesma coisa, porém não é. Os resultados da diferença de abordagem são gritantes.

Vou lhe dar mais um exemplo. Minha filha ficou brava por um motivo e jogou todos os lápis do seu estojo no chão.

Educadamente, eu pedi que ela guardasse os lápis. Ela estava muito brava com outras coisas e recusou. Em vez de dizer: "Filha, se você não guardar os lápis eu vou deixar você de castigo; guarde esses lápis agora!", eu pensei e expus a consequência de cada ação e pedi para ela escolher: "Filha, você escolhe ajudar a mamãe a guardar os lápis ou você escolhe que eu mesma os guarde no estojo e leve de presente para a vizinha?". Perceba que é diferente de eu dizer: "Se você não guardar, eu vou dar o estojo para a vizinha!". Nos dois casos, eu daria o estojo para a vizinha (e se ela não guardasse, eu realmente precisaria cumprir com a minha palavra), mas em uma abordagem seria fruto da própria escolha dela e na outra seria uma punição.

Em uma situação como essa, quando agimos meramente por ameaças e ordens, fazemos com que a criança fique ainda mais brava. A realidade é que ninguém gosta de ser dominado. Se ela entende seu comando como uma ordem absoluta, sem escolhas, ela bloqueará, e a situação ficará ainda pior. Mas quando a conduzimos para escolher dentro de uma opção limitada, ela é obrigada a pensar, o que fisiologicamente é uma ajuda para que seu cérebro mantenha o equilíbrio das suas emoções. Fazendo isso, tiramos o cérebro da criança do "modo lutar" e ativamos o "modo pensar".

Sei que as situações são inúmeras. Nem sempre saberemos o que dizer automaticamente. Precisaremos respirar fundo, avaliar a situação e pensar. Provérbios 13.16 diz que o sábio pensa antes de agir. Por isso, devemos orar para crescer em sabedoria. A Palavra de Deus nos garante que podemos orar por isso, então ore.

> *Se algum de vocês tem falta de sabedoria, peça-a a Deus, que a todos dá livremente, de boa vontade; e lhe será concedida.*
>
> **Tiago 1.5**

A TRANSFORMAÇÃO MAIS IMPORTANTE DO CORAÇÃO

> *Darei a vocês um coração novo e porei um espírito novo em vocês; tirarei de vocês o coração de pedra e lhes darei um coração de carne. Porei o meu Espírito em vocês e os levarei a agirem segundo os meus decretos e a obedecerem fielmente às minhas leis.*
>
> **Ezequiel 36.26,27**

Quero enfatizar que precisamos sempre manter o foco no nosso maior alvo: conduzir os nossos filhos para Jesus. A profecia de Ezequiel aponta para uma transformação genuína do coração. Acho precioso o fato de Deus registrar em sua Palavra que, quando a natureza do nosso coração é mudada, o próprio Espírito nos leva a agir de acordo com a sua vontade. Vemos isso em mais um texto:

> *Esta é a aliança que farei com eles, depois daqueles dias, diz o Senhor. Porei as minhas leis em seu coração e as escreverei em sua mente.*
>
> **Hebreus 10.16**

Mamãe, você sabe como ninguém que melhor do que obrigar uma "pessoinha" a comer beterraba seria se você pudesse abrir o cérebro dela e colocar dentro da "gaveta das vontades" o desejo profundo de comer beterraba. Fazer com que seu filho acorde apaixonado pelas deliciosas verduras roxinhas seria muito mais fácil do que ficar obrigando seu filho a comê-las com aquela cara de quem está comendo uma sujeira nojenta.

A Bíblia revela que Deus fez uma nova aliança na cruz superior às leis que ele havia dado. As leis eram perfeitas, mas nós não éramos. No entanto, por meio do sangue de Jesus, não apenas somos obrigados a fazer o que é certo,

"A MELHOR MANEIRA DE ENSINAR A CRIANÇA SOBRE SUA NECESSIDADE DE SALVAÇÃO É MOSTRAR-LHE O QUANTO ELA PRECISA DE UM SALVADOR. COSTUMO DIZER QUE ESSA É A GRANDE ESSÊNCIA DA MATERNIDADE BÍBLICA."

mas agora o Espírito Santo tem o poder de transformar genuinamente os desejos do nosso coração. Por isso, embora ter filhos bem-educados não seja o nosso alvo final, nada será tão poderoso para torná-los respeitosos e moralmente bons quanto à cruz.

A melhor maneira de ensinar a criança sobre sua necessidade de salvação é mostrar-lhe o quanto ela precisa de um Salvador. Costumo dizer que essa é a grande essência da Maternidade Bíblica. Além do ensino claro sobre Cristo, fazemos isso transformando as falhas identificadas em oportunidades para apontar o Evangelho ao seu filho.

Uma pessoa nunca deseja se apropriar de um remédio caro se considerar que não precisa dele.

Muitas pessoas desprezam o Evangelho porque o conhecem apenas como algo bonito que promete uma vida com mais conforto e alegria. Sentem-se felizes com a sua própria vida e não veem a necessidade de tomar "o estilo de vida" de um cristão para si. Sim, é dessa maneira que o Evangelho é visto por muitos. Ah, se essas pessoas percebessem o quanto precisamos da conquista da cruz!

Um dia, ouvi do meu pastor uma ilustração apropriadíssima e quero compartilhar com você.

Vemos cristãos apresentando Jesus para as pessoas como uma mochila revolucionária que é distribuída pela aeromoça no momento do voo. "Você precisa vestir essa mochila. Com ela, seu voo será muito mais tranquilo e feliz!" O passageiro recebe com gratidão, veste a mochila, porém logo percebe que a viagem não ficou tão mais feliz e tranquila assim, pelo contrário, às vezes é muito desconfortável permanecer com aquela mochila nas costas. Logo, esse passageiro vai desistir da ideia e se livrar do seu presente.

Agora, imagine uma segunda situação. A aeromoça se dirige ao passageiro e diz: "Senhor, sinto lhe informar, mas nosso avião vai cair, o combustível está acabando e a cada segundo que passa, estamos mais perto de espatifar no chão. Contudo, eu tenho uma mochila com um paraquedas que pode mudar seu destino. Daqui a alguns instantes, vamos abrir a porta, e você pode saltar do avião! Você deseja vestir a mochila com o paraquedas?". Eu tenho certeza de que esse passageiro se agarraria à mochila com todas as suas forças. Ele pouco se importaria com o desconforto, afinal de contas, ele sabe que estar vestindo a mochila é muito mais importante, aliás, é vital.

Seu filho não pode reduzir a poderosa obra da cruz a algo que apenas torna sua vida mais legal. Ele precisa saber o quanto ele carece do que Jesus conquistou. Você não quer conduzir seu filho apenas para que ele seja uma pessoa religiosa ou que tenha um bom "estilo de vida crente". Seu filho precisa saber que ele está em um avião que está caindo, entretanto ele tem o paraquedas!

Quando seu filho errar, mesmo você tendo dado outra direção para ele, mostre-lhe o quanto ele precisa da ação de Jesus em seu coração. Se depois de você pedir para o menino não chegar perto da sobremesa que estava gelando você encontrar algumas marcas bem típicas de um dedinho que não conseguiu esperar, chame seu filho e aproveite a oportunidade. "Filho, mamãe disse para você não chegar perto da sobremesa. Eu sei que você sabe que precisa me obedecer, mas você viu como muitas vezes é difícil obedecer? É por causa do pecado, por isso que você precisa de Jesus. Algumas vezes, isso também acontece comigo e com o papai; é por isso que nós também precisamos. Agora, vamos orar pedindo perdão e agradecendo a Jesus por ter morrido na cruz por nossos pecados! Vamos orar para que Jesus transforme seu coração? Da próxima vez você vai vencer isso, em nome de Jesus!"

Talvez você esteja pensando: "Mas meu filho só tem dois anos, ele ainda não vai entender". Mesmo que ele não entenda tudo, ele precisa ser ensinado para aprender. Nunca pense que é cedo demais.

UM CUIDADO ESSENCIAL

Quero terminar abordando um cuidado importante que une questões práticas da disciplina com a condução dos nossos filhos ao Evangelho. Quando vamos disciplinar nossos filhos, nunca devemos questionar a sua identidade de filho amado de Deus. Corrigir nossos filhos questionando sua salvação ou o amor de Deus é imitar a estratégia favorita do Diabo. Nosso inimigo nunca gosta de nos trazer à lembrança do quanto somos amados por Deus. Ele sabe o potencial disso.

Vemos que, quando o Diabo foi tentar Jesus, ele questionou se ele era mesmo filho de Deus.

> E disse-lhe o diabo: Se tu és o Filho de Deus, dize a esta pedra que se transforme em pão.
> **Lucas 4.3 – ACF**

Como assim, "se tu és"? Jesus tinha acabado de ser batizado e ouvido uma voz do céu que dizia: "Esse é meu filho amado, em quem me comprazo". Entretanto, o Diabo questiona se é filho e omite a palavra "amado"! Essa é a maneira do Diabo de nos paralisar, questionando nossa identidade. Tenha sempre o cuidado de nunca questionar a identidade do seu filho por conta de um mau comportamento. Mostre para ele que aquele comportamento não combina com sua identidade, mas nunca sugerindo que a identidade foi alterada. Por exemplo, diante de uma mentira, não questione seu filho: "De quem você é filho, hein? Você sabe quem é o pai da mentira?", mas reafirme: "Você é filho amado de Deus, isso não combina com você!".

Mamãe, cuidado com suas palavras. Além do poder criativo que suas palavras têm de maneira sobrenatural, rotular seu filho não apenas é uma profecia proferida pelos seus lábios, mas uma semente de dúvida lançada em seu coração. Mesmo que minha filha em um momento desobedeça, eu nunca a chamo de desobediente, eu reafirmo sua identidade: "Filha, isso não foi legal, não combina com você, você é obediente!". Desde muito cedo entendi isso e comecei a me comunicar com ela assim. Lembro-me que um dia, no calor do momento, eu a repreendi dizendo: "Como você é desobediente!". Ela imediatamente me respondeu: "Eu não sou desobediente, eu sou obediente". Eu pedi perdão e disse a ela que era exatamente isso.

A maneira como damos valor e importância às pessoas afeta diretamente a maneira como elas se portam. Não fale apenas o que você vê. Fale do que você crê. O maior inimigo da nossa visão é a nossa vista. Temos a visão de ver nossos filhos rendidos a Jesus. Não se apegue ao que você está vendo com seus olhos naturais. Não questione seus filhos sobre o que talvez eles mesmos já duvidem. Seja instrumento do Céu para combater as sugestões do Diabo, e não para apoiá-las.

> *[...] visto que andamos por fé e não pelo que vemos.*
> **2 Coríntios 5.7**

Na Criação Bíbliacompatível, temos sempre em mente que, embora a disciplina trabalhe com comportamentos, ela não foca apenas no que é externo, entretanto trabalha para que o íntimo do coração da criança seja resgatado pelo Salvador, resultando em verdadeira transformação, amadurecimento e clareza de sua identidade.

CAPÍTULO DEZ

VENENOS CONTRA A CRIAÇÃO BÍBLIACOMPATÍVEL

> *Ora, o homem natural não compreende as coisas do Espírito de Deus, porque lhe parecem loucura; e não pode entendê-las, porque elas se discernem espiritualmente. Mas o que é espiritual discerne bem tudo, e ele de ninguém é discernido. Porque, quem conheceu a mente do Senhor, para que possa instruí-lo? Mas nós temos a mente de Cristo.*
> **1 Coríntios 2.14-16 – ACF**

Você já deve ter percebido o quanto as coisas deste mundo têm o poder de atrair os olhares, atenção e encantar as pessoas. É um enorme erro acharmos que o nosso inimigo sempre se apresentará de maneira nitidamente maligna e assustadora.

Quando falamos de disciplina de filhos, abordamos a realidade de que algumas vezes nossa correção poderá gerar desconforto nos nossos próprios filhos. Porém, quero lembrá-la de que isso também acontecerá conosco muitas e muitas vezes.

Mentoreando milhares de mães, alegro-me demais e me emociono em ver o quanto a mensagem pregada tem o poder de transformar lares e relacionamentos. Entretanto, também percebo o quanto gero certo desconforto em muitos corações.

Faço questão de abordar esse assunto com você porque quero que você seja uma mulher de Deus que saiba discernir o que vem dele e o que não vem.

Já vimos em outro momento que a Bíblia nos fala sobre o "homem natural". Agora, quero enfatizar o fato de que também existe a "mãe natural", e você não pode ser uma delas.

A mãe natural enxerga sua maternidade e tudo relacionado à educação de filhos sem o auxílio do Espírito Santo. O ensino bíblico, o que nomeei neste livro como Criação Bíbliacompatível, lhe parece uma piada ou, o que a Bíblia mesmo diz no texto que lemos, lhe parece loucura.

Nada disso me assusta. Já recebi inúmeros ataques de pessoas contra meu ensino (que não é meu, é bíblico). E por muitas vezes me ajoelhei, jejuei o orei para que o Senhor tirasse todas as escamas dos meus olhos e eu tivesse revelação sobre sua Palavra. Nesse processo, percebi que a "mãe natural" precisa ser o alvo do meu amor e da mensagem do Evangelho, mas não da minha instrução e ensino sobre educação de filhos. Enquanto elas não deixarem de ser "naturais" e se tornarem "espirituais", elas jamais receberão bem o que a Bíblia ensina nos demais aspectos. Quem tem o poder de nos convencer e nos ensinar é o próprio Espírito Santo, e como o texto de 1 Coríntios 2 nos diz, elas não podem entender porque são discernidas espiritualmente.

> *Os cristãos estão em perigo não quando estão sendo perseguidos pelo mundo, mas quando estão sendo admirados.*[1]
>
> **Charles Spurgeon**

---

[1] "Oh, believe me, Christians are not so much in danger when they are persecuted as when they are admired." Disponível em: SPURGEON, Charles. Spurgeon's Sermons Volume 1: 1855. Michigan: Christian Classics Ethereal Library, 2010. Disponível em: https://ccel.org/ccel/spurgeon/sermons01/sermons01. Acesso em: 23 ago. 2023.

Que bela frase desse homem conhecido como "o príncipe dos pregadores", um dos maiores evangelistas do século 19. Algumas vezes, essa citação me manteve focada. Deus amou o mundo, e por um aspecto, precisamos amá-lo também. Porém, isso não significa que amaremos o seu ensino, percepções e posturas. Não acredito que precisamos gerar inimizades desnecessárias, mas acredito que precisamos nos posicionar para que as influências do mundo não distraiam nossas convicções.

Em contrapartida, a Bíblia nos diz que o homem espiritual discerne bem todas as coisas. Aplicando nesse contexto, podemos dizer que a "mãe espiritual" terá discernimento, não porque ela é inteligentíssima, nem porque leu o meu livro, mas porque tem a mente de Cristo, que é o que diz o versículo 16, que lemos no início deste capítulo.

> *Não se amoldem ao padrão deste mundo, mas transformem-se pela renovação da sua mente, para que sejam capazes de experimentar e comprovar a boa, agradável e perfeita vontade de Deus.*
> **Romanos 12.2**

Se você já recebeu Jesus como seu Senhor e Salvador, crendo que ele se entregou na cruz pelos seus pecados, resgatando-nos e nos dando vida, você tem o Espírito e apenas precisa renovar a sua mente a cada dia com a Palavra de Deus para que possa parecer cada vez mais com ele. A Palavra de Deus é como água que enche um copo sujo: quanto mais água ele recebe, mais limpo ele vai se tornando, até que a água que transborda se torna cristalina.

Se esse não é o seu caso e você nunca entregou sua vida a Jesus, convido-a a ir agora para o fim deste capítulo e, em voz alta, orar com fé a oração de entrega que escrevi para você. Quero conduzir aquelas que chegarem aqui com o desejo de se render a Jesus. Convido-a a ouvir uma mensagem que você pode acessar por meio do QR Code anexo à oração. (Não se esqueça de voltar aqui e retomar a leitura, ok?)

Agora, quero alertá-la sobre quatro venenos contra a Criação Bíbliacompatível que podem se apresentar como grandes apoiadores e amigos. Ninguém é envenenado por outra pessoa de maneira consciente, por isso desejo que você seja uma mãe espiritual que saiba identificá-los. Quero esclarecer por que precisamos nos manter cuidadosas e focadas contra eles.

1. HUMANISMO

O humanismo foi um movimento intelectual iniciado no século 15 com o Renascimento e foi difundido por todo o mundo, começando na Europa. Até então, existia uma forte influência da Igreja e do pensamento religioso sobre a civilização. Esse movimento se inicia e muda a mentalidade centralizada em Deus, o que chamamos de teocentrismo, para uma mentalidade que considera o homem como o centro de tudo, que é o antropocentrismo. Foi uma mudança tão grande, que marcou a transição entre a Idade Média e a Idade Moderna. Em linhas gerais, o humanismo é a ideologia que valoriza o ser humano e a condição humana acima de tudo. Ele luta para expressar o quanto o homem por si mesmo tem condições de ser generoso, amigável, bondoso, entre outros atributos, sem a interferência de Deus ou da religião.

Mamãe, cuidado com metodologias que você vê por aí. Existem ensinos que estão cada vez mais populares, com muitas ferramentas atrativas e interessantes, porém a sua essência é completamente humanista. Vemos "belos" livros que pregam uma educação respeitosa focados completamente no homem. Também vemos um batalhão de defensores argumentando a favor de metodologias x e y com unhas e dentes. Existem ferramentas interessantes e

> Existem ferramentas interessantes e informações científicas que até podem ser úteis no seu dia a dia. Mas tenha o cuidado de não colocar o método acima da Bíblia nem da poderosa obra do Espírito Santo.

informações científicas que até podem ser úteis no seu dia a dia. Mas tenha o cuidado de não colocar o método acima da Bíblia nem da poderosa obra do Espírito Santo. Não coloque sua confiança nisso.

2. JUSTIÇA PRÓPRIA

Acredito que esse seja o maior veneno contra o crente. Como já disse, o Diabo é suficientemente perspicaz para não paralisar o cristão usando apenas ferramentas claramente demoníacas. Ele tem se aproveitado da justiça própria para paralisar muitos de nós.

Talvez hoje você já tenha se aprofundado em Deus o suficiente para não deixar pecados mundanos contaminar mais o seu lar. Palavrões, xingamentos e brutalidade não são mais um problema para você. Mas existe algo que tem um potencial gigantesco de estagnar os crentes e de cegá-los sem que eles percebam: é justamente quando o homem confia na força do seu próprio braço.

Posso dizer que a justiça própria é uma espécie de "humanismo religioso". Também posso dizer que é um gigante que precisaremos combater em toda nossa caminhada cristã. Temos uma tendência enorme de achar que as coisas acontecem porque estamos fazendo algo e nos esquecemos de que devemos sempre depender de Deus.

Vemos o quanto Jesus foi abençoador por onde ele passou. Ele sempre proferia uma palavra de bênção e frutificação. Porém, a Bíblia registra um único momento em que ele proferiu uma palavra amaldiçoadora.

> *E, avistando uma figueira perto do caminho, dirigiu-se a ela, e não achou nela senão folhas. E disse-lhe: Nunca mais nasça fruto de ti! E a figueira secou imediatamente.*
>
> **Mateus 21.19 – ACF**

Por que Jesus amaldiçoou a figueira? Por que a Bíblia registra esse fato no livro de Mateus e repete em Marcos? Porque a figueira aponta para a justiça própria.

Quando Adão e Eva pecaram, vemos em Gênesis que eles perceberam que estavam nus. Eles perderam o revestimento da Glória de Deus e se sentiram envergonhados. Para tentar resolver o problema de sua nudez, eles pegaram algumas folhas e se cobriram com ela. Adivinhe de qual árvore eles arrancaram essas folhas?

> Então foram abertos os olhos de ambos, e conheceram que estavam nus; e coseram folhas de figueira, e fizeram para si aventais.
> **Gênesis 3.7 – ACF**

Costuraram roupas com folhas de figueira. Não podemos achar que esse detalhe está ali à toa. Já foram catalogadas mais de 1300 árvores frutíferas no mundo (eu achei uma afirmação assustadora, não conseguiria listar mais de cinquenta frutas!). Com certeza, no Jardim do Éden estavam cada uma delas, mas Adão e Eva tentaram encobrir o seu pecado justamente com as folhas de figueira.

A figueira simboliza o esforço humano para tentar se livrar do pecado. Mas vemos no versículo 21 que Deus faz roupas da pele de um animal para vestir Adão e sua mulher. Nunca haverá perdão dos pecados sem derramamento de sangue, como diz Hebreus 9.21. Mesmo que a Bíblia não diga, muitos estudiosos bíblicos concluem que esse animal com certeza foi um cordeiro. Uau! Algo completamente profético e que apontava para Jesus.

Talvez você esteja bem atenta para não deixar ideologias humanistas conduzirem seu lar. Mas também não caia no erro de pensar que seu filho vai ser um grande homem de Deus porque você vai fazer o que for preciso. Sua atitude e postura certamente é importante, mas esteja sempre com o seu coração certo de que você é apenas um instrumento de Deus, e se ele não mover no coração do seu filho, todo seu esforço será inútil.

3. IRA

Existem muitas pessoas que acham que todo caminho de paciência e amor é permissividade. Já abordamos aqui o suficiente para que você entenda a importância de manter-se conectada emocionalmente ao seu filho, porém eu não poderia excluir a ira da lista desses venenos.

Em meus cursos, eu ensino que, em alguns momentos, precisamos ser firmes, mas em outros, nossas palavras duras podem ter o potencial de um combustível lançado contra as chamas. É exatamente o que a Bíblia nos alerta quando diz que a resposta branda desvia o furor. Entretanto, sempre aparecem comentários debochados exaltando a braveza dos pais na criação dos seus filhos, como se isso fosse algo respaldado pelo Senhor. Sei que a Bíblia diz que podemos nos irar sem pecar, mas ela também nos diz em Tiago 1.20 que a ira do homem não produz a justiça de Deus. Com certeza, agir motivado pela ira não é uma boa ideia. Ela poderá surtir algum efeito, mas tenha a certeza absoluta de que será apenas externo, e não em seu coração.

4. IMEDIATISMO

O imediatismo na maternidade é o sentimento mais antagônico que existe. As mães desejam viver o agora, mas com as conquistas do futuro ou morrendo de saudades do que já não podem viver. Realmente precisamos viver intensamente os momentos; o que você vive agora não vai mais se repetir, porém isso não significa que tudo precisa acontecer e se resolver já.

"Não vejo a hora de o meu filho aprender a dormir sozinho!" "Quando essa criança vai aprender a tomar banho sem minha ajuda?" "Eu já ensinei e ele não fez!"

"Eu já não expliquei quais são as regras?" "Quantas vezes vou precisar falar sobre isso?"

Muitas, muitas e muitas vezes! Por falar em imediatismo, respire fundo agora e repita três vezes: educar filhos é um processo!

> **Tudo** tem o seu tempo determinado, e há tempo para todo o propósito debaixo do céu. Há tempo de nascer, e tempo de morrer; tempo de plantar, e tempo de arrancar o que se plantou [...].
> **Eclesiastes 3.1,2 – ACF**

A infância do seu filho é tempo de plantar o que você quer colher e de arrancar o que veio de "bônus" com o pecado de Adão. É a estação mais dinâmica da sua vida. O fato de você estar na direção certa não significa que você não vai ter conflitos, que seu filho vai aprender tudo de primeira e que você não vai errar. Nossos filhos estão em construção; além disso, nós também estamos. Por mais que você tenha clareza sobre o que fazer, existirão coisas próprias e peculiares de cada criança e existirão dias em que você estará mais paciente ou mais irritada.

Uma aluna um dia me disse o quanto estava sendo difícil educar seu segundo filho. Ela fazia a mesma coisa com o seu primogênito, e ele reagia de maneira completamente diferente. "Eu falava de uma forma, e meu filho mais velho me compreendia com tranquilidade. Hoje, se falo a mesma coisa e da mesma maneira com o meu caçula, ele chora por uma hora seguida." O que a fiz refletir é que relacionamentos são assim. Ninguém é igual a ninguém, e todo mundo está aprendendo. Filhos não são robôs de lotes diferentes.

Muitas alunas também me questionam sobre comportamentos bem próprios de crianças pequenas, querendo instrução de como mudá-los. Querida, não coloque uma caixa cheia de instrumentos perigosos na frente do seu filho de dois anos esperando que ele não mexa porque você disse para ele não mexer. Se é perigoso para ele manipular aquelas coisas, não complique sua vida, tire aquilo dali. Sim, seu filho precisa aprender, mas enquanto não tem condições de aprender, facilite as coisas; você não precisa provar nada para ninguém. Você pode ensiná-lo sobre obediência e honra sem precisar expor seu filho a uma situação como essa.

Mamãe, tenha paciência com seu filho. No entanto, também tenha paciência com você mesma e com os processos. Saber respeitar os processos é oposto ao imediatismo. A educação do seu filho não acontecerá de uma hora para outra. Lembre-se sempre de que flecha pronta não dá em árvore! Saiba esperar! E, mais do que isso, espere no Senhor.

> [...] mas aqueles que esperam no Senhor renovam as suas forças.
> **Isaías 40.31**

Na Criação Bíbliacompatível, lutamos contra toda justiça própria e somos completamente dependentes da obra do Espírito Santo, rejeitando toda ideologia que coloque o homem no centro ou que desrespeite o tempo e o modo que Deus estabeleceu.

ORAÇÃO DE ENTREGA

Senhor Jesus, hoje eu reconheço que sou falha e pecadora. Mas eu creio que Jesus decidiu me resgatar e se entregou numa cruz pelo perdão dos meus pecados. Eu creio que Jesus é meu Salvador, que ele assumiu o meu lugar e morreu, mas ressuscitou no terceiro dia. Eu convido Jesus para ser o meu Senhor e entrego minha vida e minha família a ele. Escreva meu nome no Livro da Vida.

Em nome de Jesus, amém.

> Mamãe, tenha paciência com seu filho. No entanto, também tenha paciência com você mesma e com os processos. Saber respeitar os processos é oposto ao imediatismo. A educação do seu filho não acontecerá de uma hora para outra.

CONCLUSÃO

A UNÇÃO DE ZADOQUE E DE BENJAMIM

Enquanto eu escrevia este livro, Deus abriu meus olhos para dois povos da Bíblia. Senti fortemente em meu coração que existe uma unção relacionada a eles totalmente aplicáveis e úteis para nós mães.

Quando falamos de unção, referimo-nos a um poder específico de Deus liberado para um propósito. Ninguém receberá poder de Deus apenas para se sentir poderoso, mas porque ele deseja nos mover e capacitar de maneira sobrenatural.

> O Espírito do Senhor DEUS está sobre mim; porque o SENHOR me ungiu, para pregar boas novas aos mansos; enviou-me a restaurar os contritos de coração, a proclamar liberdade aos cativos, e a abertura de prisão aos presos.
>
> **Isaías 61.1 – ACF**

"O Senhor me ungiu para..." Nesse texto, vemos que a unção sempre acompanha um propósito. E quero levá-la a crer que existe uma unção para sua maternidade também.

Talvez você ache pretensioso pensar que possa existir uma unção para algo relativamente comum, como para educar um filho. Entretanto, avalie comigo.

O primeiro registro de alguém sendo cheio do Espírito na Bíblia não foi na unção de um grande profeta ou pregador; também não foi na unção de um grande rei, tampouco foi na unção de um grande guerreiro.

> *Eis que chamei pelo nome Bezalel, filho de Uri, filho de Hur, da tribo de Judá, e o enchi do Espírito de Deus, de habilidade, de inteligência e de conhecimento, em todo artifício, para elaborar desenhos e trabalhar em ouro, prata e bronze, para lapidação de pedras de engaste, para entalho de madeira, para todo tipo de trabalho artesanal.*
> **Êxodo 31.2-5 – NAA**

O primeiro relato de uma pessoa sendo cheia pelo Espírito foi de um artesão chamado Bezalel, para que ele pudesse esculpir utensílios do tabernáculo. O texto diz que Deus deu espírito de habilidade, de inteligência e de conhecimento em todo artifício para que ele pudesse fazer o que era preciso.

Você tem alguma dúvida de que Deus também quer enchê-la com seu Espírito, com unção de habilidade, inteligência e conhecimento em toda obra (que é sinônimo de artifício no texto original), para que você possa ser usada por ele para lapidar o coração do seu filho?

UNÇÃO DE BENJAMIM

> *Tinham por arma o arco e usavam tanto da mão direita como da esquerda em arremessar pedras com fundas e em atirar flechas com o arco. Eram dos irmãos de Saul, da tribo de Benjamim [...].*
> **1 Crônicas 12.2 – ARA**

Começamos este livro meditando no fato de que filhos são flechas, e nós somos as guerreiras. A Palavra de Deus revela que os da tribo de Benjamim eram habilidosos para usar o arco tanto com a mão direita quanto com a mão esquerda. Penso que existe uma unção de Benjamim para todos os guerreiros escolhidos pelo Senhor.

Essa unção nos capacita para lidarmos com os aspectos espirituais e naturais. A mão direita aponta para a ação sobrenatural de Deus, a mão esquerda, para nossas habilidades. Sabemos que até aquilo que parece nosso foi-nos dado pelo Senhor, porém também vimos a importância de sabermos lidar com coisas espirituais somadas às naturais. Em nome de Jesus, eu declaro que a unção de Benjamim será derramada sobre sua maternidade.

UNÇÃO DE ZADOQUE

A meu povo ensinarão a distinguir entre o santo e o profano e o farão discernir entre o imundo e o limpo.
Ezequiel 44.23 – ARA

Deus, um dia, dá uma longa visão ao profeta Ezequiel. Em um momento, ele repreende a nação de Israel por práticas repugnantes em um período rebelde.

Ezequiel 47.7,8 demonstra o quanto o Senhor estava reprovando o fato de os levitas levarem pessoas não consagradas para o seu santuário. Eles permitiram que pessoas não apropriadas se envolvessem com o que era santo. Fizeram uma mistura intolerável ao Senhor.

No entanto, no versículo 15 vemos que determinada linhagem dos levitas, os descendentes de Zadoque, foram fiéis e executaram os seus deveres sem permitir que outras pessoas se envolvessem nisso. E é para esse povo que Deus promete que eles seriam levantados para ensinar a diferença do que é santo com o que é profano, do imundo e do puro.

Por causa disso, os descendentes de Zadoque seriam os únicos que poderiam se aproximar da mesa do Senhor no santuário (Ezequiel 44.16). A mesa aponta para intimidade e relacionamento.

Mamãe, eu creio em uma unção poderosa para que você saiba discernir entre o que é santo e o que é profano. Em nome de Jesus, declaro que essa unção de Zadoque estará sobre sua vida para que você saiba discernir o que é apropriado e o que não é para que a educação dos seus filhos seja bíblica e sem misturas. Assim, você e sua família desfrutarão do prazer da intimidade com o Senhor. Além de tudo isso, no versículo 11 e 12 do capítulo 48, a Bíblia revela que para os filhos de Zadoque existe uma herança especial. Existe algo poderoso demais aqui. Zadoque significa "justo".

Para os filhos do justo haverá uma herança especial. Lembre-se de que alguém não é considerado justo por Deus porque é perfeito, mas porque Jesus é a sua justiça e pagou toda dívida na cruz. Hoje eu posso me apropriar de uma herança especial para minha família não porque sou perfeita ou porque agora saberia lidar com a situação da birra da minha filha, mas porque creio que estou em Cristo.

> *Pois o que diz a Escritura? Ela diz: "Abraão creu em Deus, e isso lhe foi atribuído para justiça."*
> **Romanos 4.3 – NAA**

Uma Criação Bíbliacompatível busca sabedoria sobre aspectos naturais e fisiológicos, contudo também sabe que precisa lidar com aspectos espirituais. Sabe discernir o que é puro do que é impuro. Sabe que precisará trabalhar com limites, da necessidade da disciplina e da importância incontestável do amor no processo da lapidação pelo qual seu filho passará. Mas a Criação Bíbliacompatível também crê em uma unção do alto, porque sabe que nossa herança não será fruto do nosso próprio esforço, mas daquilo que Jesus, que é a nossa justiça, já fez.

Regue todas as suas sementes que forem lançadas com a oração e creia que Deus faz o que você não pode fazer. E guarde em seu coração cinco coisas que falarei de mãe para mãe com muito carinho:

- **Lembre-se sempre de que, antes de você ser mãe, você é filha amada. Deus sempre terá um olhar de cuidado e carinho sobre você, e não de julgamento, cobrança e condenação.**

- **A sua tarefa como mãe não é um jugo a ser carregado, é um privilégio a ser desfrutado. Nada nunca poderá ser comparado a isso.**

- **Você tem em mãos o superpoder de transmitir paixões; seja cuidadosa com suas prioridades e escolhas.**

- **Cuidar do seu casamento é tão importante quanto aplicar tudo o que falamos aqui. Esse é o relacionamento mais importante da estrutura da sua família.**

- **É natural se cansar. Quando você estiver cansada, não pense que está sendo ingrata ou se desfazendo desse privilégio, apenas descanse. Há tempo para todas as coisas.**

Que Deus possa levantar você como uma mulher que cuida do ambiente do seu lar, para que a Criação Bíbliacompatível possa ser aplicada com sabedoria, discernimento, graça e favor de Deus.

PATERNIDADE **BÍBLIA**COMPATÍVEL

UMA PALAVRA PARA O PAI

Daniel Joslin

Absolutamente ninguém consegue gerar um filho sozinho. Seja um homem, seja uma mulher. Desde o início, Deus estabeleceu que esse seria um trabalho que precisaria ser feito em conjunto. Por mais que o desejo da independência e da autossuficiência cresça a cada dia, a natureza nunca nos mostrará algo diferente disso. Para gerar uma vida, precisaremos de um homem e de uma mulher.

Quando a Bíblia traz instruções relacionadas à educação de filhos, sempre envolve homem e mulher, o pai e a mãe, justamente porque esse trabalho não se limita à reprodução e procriação. A construção do caráter de uma criança precisa da figura paterna e materna.

É inegável que a figura materna é muito mais viva na vida de um filho nos seus primeiros anos. Quem o carrega por nove meses? É a mãe. Quem o amamenta? É a mãe. O pai parece uma figura secundária e dispensável. E é aí que mora o perigo, porque um pai precisa cumprir uma função notável, preciosa e necessária que muitos não se dão conta.

Lembro-me de um dia em que minha esposa me telefonou muito emocionada após pregar em uma conferência de mulheres em São Luís, no Maranhão. Como você percebeu neste livro, Deus a comissionou para ensinar a educação de filhos com muita graça e sabedoria. Nos últimos anos, ela tem sido tremendamente usada para ministrar ao coração de mães, e nesse dia não tinha sido diferente. Mas algo muito especial aconteceu.

Quando minha esposa desceu do púlpito, uma senhora, cheia de temor, foi até ela e entregou uma palavra de conhecimento muito específica: "Deus está me dizendo que você não usa o seu nome correto; seu nome não é Tati. Eu não sei qual é seu verdadeiro nome, mas o significado do seu nome carrega a mensagem mais importante do seu ministério".

Ela desabou em lágrimas quando escutou isso. Ela nunca gostou de ser chamada pelo seu nome completo. Em todos os lugares, sempre se apresentava como Tati (até mesmo em minha aliança tínhamos gravado apenas "Tati"). Mas seu nome é "Tatiane". Ela sempre soube o significado dele, mas nunca tinha visto de maneira espiritual. Tatiane significa "a que pertence ao Pai", e justamente naquele dia o Espírito Santo a havia direcionado para enfatizar a sua palavra para mães dando foco na paternidade de Deus, e essa mensagem veio para confirmar a importância dessa ênfase em seu coração. Encontrarmos a paternidade de Deus é crucial para experimentarmos o verdadeiro evangelho e desfrutarmos da alegria de Deus em nossa família.

Mesmo que todo o trabalho de uma mãe seja admirável, essencial, lindo e único, nada é mais preciso para revelar o caráter de Deus como o amor de um pai.

No capítulo 5 deste livro, vimos sobre uma santa obsessão de Deus para ter filhos. O tema central da Bíblia é um Deus Santo, que estabeleceu um plano para colocar a sua santidade nos homens, transformando-os em seus filhos para que ele pudesse transbordar o seu amor como Pai.

> Mas, a todos quantos o receberam, deu-lhes o poder de serem feitos filhos de Deus, a saber, aos que creem no seu nome [...].
>
> **João 1.12 – ARA**

O desejo original de Deus era ter um relacionamento de proximidade e de desfrute com seus filhos. Quando o Criador formou Adão e Eva, não os colocou em uma fábrica ou em uma prisão, mas os colocou em um jardim, o Jardim do Éden. "Éden" significa "prazer". Seu nome revelava o seu projeto: seria um lugar de alegria e intimidade.

Quando o pecado entrou no mundo, a humanidade foi separada de sua glória e se desconectou do seu maior propósito, que era justamente conter a vida de Deus. E é por isso que, no Novo Testamento, vemos um espírito de adoção novamente nos capacitando para podermos chamar o nosso Deus de Aba Pai.

Por muitos anos, esse grande desejo de Deus de ter um relacionamento íntimo com seus filhos ficou oculto. Ninguém o chamava de Pai. Talvez isso soe estranho para nós, porque nascemos em uma cultura em que, desde criança, somos ensinados sobre o "Papai do céu". Mas nem sempre foi assim.

Quando Jesus ensinou seus discípulos a orarem a Deus, quebrou todos os paradigmas e formalidades e iniciou dizendo "Pai nosso".

> Portanto, vós orareis assim: Pai nosso, que estás nos céus, santificado seja o teu nome [...].
>
> **Mateus 6.9 – ARA**

Você pode imaginar o tamanho espanto das pessoas ao escutarem isso? "Pai"? Como podemos chamar um Deus sublime, majestoso e todo-poderoso de Pai? Era algo completamente inesperado e desconhecido. Mas justamente Cristo revela quem Deus é.

> Porque não recebestes o espírito de escravidão, para viverdes, outra vez, atemorizados, mas recebestes o espírito de adoção, baseados no qual clamamos: Aba, Pai. O próprio Espírito testifica com o nosso espírito que somos filhos de Deus. Ora, se somos filhos, somos também herdeiros, herdeiros de Deus e coerdeiros com Cristo; se com ele sofremos, também com ele seremos glorificados.
>
> **Romanos 8.15-17 – ARA**

Quando entendemos que passamos de "criaturas" para "filhos", nossa vida espiritual é mudada. Agora, sabemos que temos uma nova identidade, posição, direito e herança. A vida cristã envolve a nossa adoção por um Deus que, pela sua Graça, decidiu ser nosso Pai.

Mas por que estamos falando sobre isso em um livro sobre educação de filhos? Justamente pelo que já disse no início deste capítulo: nada é mais preciso para revelar o caráter de Deus como o amor de um pai.

O diabo nunca poderá alterar a paternidade de Deus e o seu imenso amor por nós, então sua maior luta nesta terra é mudar a visão do ser humano sobre a paternidade.

UMA EXPRESSÃO DIVINA

Nosso Deus é tão perfeito para nos ensinar quanto o seu professor de matemática da sua adolescência. Talvez essa frase tenha soado completamente incoerente para você, afinal de contas, o seu professor de matemática era horrível, e você nunca conseguiu entender as "equações polinomiais" e muito menos "geometria analítica". Entretanto, você pode ter lido essa frase com muita empolgação, lembrando-se do quanto seu professor era incrível, criativo e sabia ensinar. Eu não sei como foi o seu professor de matemática, mas uma coisa eu sei: se por acaso você é um professor de matemática, sentiu um frio na barriga. Imagine se a Bíblia realmente nos trouxesse essa comparação. Todo professor de matemática cristão teria de se empenhar muito para exercer sua profissão com maestria, afinal, o nosso Deus é perfeito para ensinar.

Não se preocupe. O Senhor nos ensina com muito mais habilidade do que qualquer professor de matemática, e essa comparação é puramente invenção minha. Contudo, preciso lhe dizer: se você é um pai, vocês têm muito em comum, e é inevitável que, em algum momento, você carregue a responsabilidade dessa comparação.

Ao longo dos anos de pastoreio, deparei-me inúmeras vezes com pessoas que tinham muita dificuldade de desfrutar da alegria de ser filho e herdeiro de Deus, não por um problema em se entregar para Cristo e recebê-lo como seu Salvador, mas devido a uma imensa dificuldade em enxergar Deus como Pai.

É inevitável: o relacionamento que construirmos com nossos filhos servirá de base para o olhar que eles terão a respeito de Deus. E é por isso que o maior ataque do diabo contra as famílias se inicia em uma paternidade comprometida e corrompida.

Em contrapartida, é por isso que um pai cheio do Espírito Santo, de sabedoria e que provou da Graça de Deus se posiciona para ser aperfeiçoado a cada dia nessa missão que Deus lhe confiou.

VOCÊ NÃO É DEUS

> E todos nós, com o rosto desvendado, contemplando, como por espelho, a glória do Senhor, somos transformados, de glória em glória, na sua própria imagem, como pelo Senhor, o Espírito.
>
> **2 Coríntios 3.18 – ARA**

Deus não espera que você seja perfeito. Até aqui, eu lhe trouxe a responsabilidade e a importância do nosso papel. Entretanto, meu objetivo com isso não é que você se sinta incapaz, falho e condenado pelo que não consegue fazer, mas quero justamente o contrário: que você perceba a sua nobreza, privilégio e a necessidade na sua casa e na vida dos seus filhos.

A Graça de Deus nos capacita a desfrutar de um relacionamento com ele, e é essa mesma Graça que nos suprirá em tudo o que Deus confiar a nós. Não somos amados porque merecemos esse amor, mas porque ele decidiu nos amar, mesmo quando éramos pecadores. Não somos filhos porque ele precisava ser adotado como Pai, mas porque ele decidiu nos amar quando éramos órfãos. Não somos usados por Deus porque somos o máximo, mas porque Deus nos concede esse privilégio de sermos cooperadores dele. E não seremos bons pais porque acertamos sempre, mas porque conhecemos um Salvador que primeiro nos resgatou e também resgatará os nossos filhos.

Portanto, não caia no erro de se paralisar olhando para suas limitações e falhas, sentindo-se desqualificado ou despreparado. A Bíblia não diz que você será aperfeiçoado olhando para sua própria imagem. E é por isso que quero terminar este capítulo levando você a enxergar a verdadeira imagem de quem Deus é, porque é segundo a imagem dele que você será transformado.

Qual a sua imagem a respeito do seu Deus Pai?

O PAI PERFEITO

Antes de ser pai, você sempre foi filho. E é inevitável que, em algum momento, você tenha conectado o seu relacionamento com seu pai ao seu relacionamento com Deus. Não sei como foi a sua infância ou como é sua convivência com seu pai hoje. O fato é que quem seu pai foi para você em algum momento afetou a sua identidade e visão.

Quando eu era criança, senti bem o reflexo de uma ausência paterna, não devido a um divórcio ou abandono, mas pela profissão do meu pai. Ele trabalhava na Marinha Mercante e viajava muito. Em cada viagem, ficava de três a quatro meses fora. Era uma época em que não existiam todas as facilidades de comunicação, e o máximo que conversávamos era através de telefonemas rápidos bem esporádicos. Isso durou até meus onze anos. Embora meu pai sempre tenha sido muito amoroso e presente enquanto estávamos juntos, eu sentia na pele o prejuízo da sua ausência. Sempre estava mais calado, inseguro e intolerante; não precisava de muito para me tirar do sério. Até hoje, eu guardo em minha memória dois momentos: o de tristeza extrema quando era o dia de sua partida e a alegria e empolgação quando ele retornava. Era nítida a mudança que eu experimentava com a presença do meu pai.

Eu tive a graça de conhecer Jesus ainda pequeno e sempre fui ensinado sobre o amor paterno de Deus. E mesmo nesse contexto, eu podia me lembrar de que meu Deus era sempre presente. Mas se esse não fosse o caso, eu poderia ter associado a imagem do meu Pai celestial como alguém que às vezes está distante e me visita de tempos em tempos. Além disso, eu poderia reproduzir o mesmo padrão dentro da minha família, achando que já seria mais que suficiente estar com meus filhos dois ou três dias na semana.

O fato é que, quando temos um encontro pessoal com Deus Pai, encontramos o modelo ideal para nos espelhar. Hoje você tem a chance de ter um olhar correto sobre Deus. Ele não é um pai que está distante e deixa você inseguro e desestabilizado; também não é um pai severo e que não suporta suas falhas; não é um pai que vem visitar você apenas de vez em quando e muito menos que o abandonou. Ele é um Pai perfeito.

UM PAI BOM E AMOROSO

> Rendei graças ao Senhor, porque ele é bom, porque a sua misericórdia dura para sempre.
>
> **Salmos 136.1 – ARA**

> Bondade e misericórdia certamente me seguirão todos os dias da minha vida; e habitarei na Casa do Senhor para todo o sempre.
>
> **Salmos 23.6 – ARA**

Muitas pessoas cresceram com a imagem completamente errada sobre Deus. Passaram seus dias convivendo com o medo do castigo e da punição. Diante dos erros da sua vida, sentiram-se ameaçados com o que Deus poderia fazer ou até mesmo se sentiram inseguros quanto à vontade de Deus. Você precisa ter isto resolvido em seu coração: o seu Deus é um Pai bom. Sua vontade é boa, perfeita e agradável. Seu amor dura para sempre, e ele não se alegra com o seu mal.

A Bíblia diz que a bondade e a fidelidade nos acompanharão todos os dias da nossa vida. No original, essa palavra, "acompanhar", é a mesma palavra de "caçar". Ou seja, a bondade de Deus caça os seus filhos. Muitos não desfrutam porque não têm clareza disso e vivem rejeitando o favor de Deus e o seu amor. Sentem-se inapropriados para desfrutar disso. Lembre-se: você que já recebeu Jesus como seu Salvador é filho amado de Deus, portanto você é alvo da sua bondade e misericórdia.

Quando você aprender a desfrutar disso, será capaz de refletir essa realidade em sua paternidade. Ninguém consegue transmitir aquilo que não recebe. Quanto mais você meditar no quanto Deus é bom e o ama mesmo quando você falha, mais será munido e equipado para agir com bondade e amor.

> QUANTO MAIS VOCÊ MEDITAR NO QUANTO DEUS É BOM E O AMA MESMO QUANDO VOCÊ FALHA, MAIS SERÁ MUNIDO E EQUIPADO PARA AGIR COM BONDADE E AMOR.

Daniel Joslin

UM PAI QUE NOS PERDOA E NOS SUPRE

Uma das histórias mais conhecidas no Novo Testamento é a do filho pródigo, que encontramos em Lucas 15. Embora o filho leve o título da parábola, o personagem central é o pai. Um dia, aquele rapaz pede toda sua herança enquanto o seu pai ainda está vivo. Ele gasta e desperdiça tudo de forma irresponsável e egoísta. Quando está sem nenhuma condição para continuar a sua vida, lembra-se dos empregados do seu pai e cogita retornar, com a esperança de ser um dos seus empregados.

Como era esperado que seu pai estivesse? Furioso, decepcionado e pronto para dar uma boa lição de moral diante da sua atitude desrespeitosa e imoral. Mas qual é a cena narrada por Jesus? De um Pai amoroso, ansioso pela volta do seu filho, desejando a sua restauração completa. Ele não apenas sorri ao enxergar seu filho, mas corre ao seu encontro, abraça-o e o beija.

Esse pai aponta para o nosso Deus. Um Deus completamente limpo, perfeito e que nunca se atrasa; que corre ao encontro do seu filho sujo e pecador, mas que decidiu voltar.

> Mas Deus prova o seu próprio amor para conosco pelo fato de ter Cristo morrido por nós, sendo nós ainda pecadores. Logo, muito mais agora, sendo justificados pelo seu sangue, seremos por ele salvos da ira. Porque, se nós, quando inimigos, fomos reconciliados com Deus mediante a morte do seu Filho, muito mais, estando já reconciliados, seremos salvos pela sua vida [...].
>
> **Romanos 5.8-10 – ARA**

A Bíblia diz que Deus nos alcançou quando éramos seus inimigos. Éramos pecadores e distantes quando ele entregou seu Filho em nosso favor. Tamanha generosidade e amor é algo que nunca iremos compreender. Contudo, agora que somos filhos e vivemos em uma posição muito mais privilegiada, algumas vezes relutamos em entender que seu perdão continua disponível para nós.

Deus não deseja amá-lo sempre porque você é bom, mas porque ele é sempre bom. Tanto é que decidiu criar um meio de nos perdoar, apesar das nossas falhas, e assim o fez com Jesus na cruz.

Certa vez, escutei uma história de Alexandre, o Grande. Conta-se que ele estava às portas de uma cidade quando um mendigo lhe pediu uma esmola. Alexandre entregou uma moeda de ouro e espantou aqueles que estavam ao seu redor. Um dos generais replicou que, para aquele mendigo, bastava uma moeda de pequeno valor. E a resposta de Alexandre foi que ele não tinha dado de acordo com a necessidade do mendigo, mas de acordo com a sua própria nobreza.

No final das contas, daremos de acordo com aquilo que recebemos. Pessoas que tratam os outros com desrespeito e brutalidade provavelmente receberam apenas isso e não conseguem agir diferente. Talvez a sua dificuldade em agir de maneira mais amorosa com seus filhos tem sido justamente a falta do carinho e amor que você nunca recebeu. Mas eu preciso lhe dizer: seu passado não é um decreto daquilo que você vai construir e gerar. Você pode decidir crescer em relacionamento com esse Deus e meditar a cada dia nesse amor. Quando você menos esperar, estará espalhando nobreza e um carinho que não veio de você.

UM PAI QUE SE IMPORTA COM NOSSO CORAÇÃO

> Darei a vocês um coração novo e porei um espírito novo em vocês; tirarei de vocês o coração de pedra e lhes darei um coração de carne.
>
> **Ezequiel 36.26**

Nosso Deus nos adota como estamos, mas deseja nos aperfeiçoar. Ele remove o nosso coração de pedra porque sabe do quanto precisamos ser transformados. Ao longo deste livro, muito foi falado sobre a instrução dos nossos filhos, a lapidação do seu coração e a construção do seu caráter. Como pai, eu sei o quanto nos preocupamos com o destino dos nossos filhos. Mas também sei o quanto queremos ser homens honrados e respeitados. E é uma grande conquista quando conseguimos unir tudo isso: instruir e educar nossos filhos, para que eles possam aprender a fazer boas escolhas e proceder adequadamente, enquanto mantemos a nossa reputação.

Precisamos estar cientes de que exercer paternidade não é uma prova na qual necessitamos da aprovação da sociedade. Falo isso porque, muitas vezes, tendemos a agir e reagir de certas formas com medo de sermos permissivos, parecermos fracos e perdermos o controle do nosso lar.

> Nossos pais nos disciplinavam por curto período, segundo lhes parecia melhor; mas Deus nos disciplina para o nosso bem, para que participemos da sua santidade.
>
> **Hebreus 12.10**

"Mas Deus nos disciplina para o nosso bem." Aconselhando muitas famílias, percebo que, na maioria das vezes, quando se trata de corrigir seu filho, o pai concentra todas as suas energias em manter a sua postura de autoridade máxima em vez de realmente focar em ensinar o que precisa ser ensinado. É claro que Deus nos comissiona a ter a maior voz de autoridade dentro da nossa família. Obviamente, devemos cultivar respeito e honra. Mas oferecer favor, agir com graça, ajudarmos os nossos filhos a amadurecer e respeitá-los não compromete a nossa posição.

Lembro de uma das primeiras vezes em que precisei corrigir a minha filha na frente de outras pessoas. O meu alvo, de fato, não foi dizer o que ela precisava, ajudá-la a lidar com a situação ou fazer o que era necessário, mas eu usei tudo o que estava ao meu alcance para parecer um pai responsável, que exigia respeito e não tolerava desonra. Enquanto a menininha mais importante da minha vida apenas precisava da minha ajuda para aprender que jogar o resto do sorvete no chão não era uma boa ideia.

Quando Deus disciplina seus filhos, ele o faz para que nós sejamos aperfeiçoados, cresçamos e possamos avançar um nível na nossa caminhada de fé. O alvo de sua disciplina nunca é para mostrar o quanto ele é perfeito. Isso já é um fato que todos nós cremos. Mesmo assim, o Senhor continua a nos instruir, ensinar e moldar, porque nós não o somos.

Por mais óbvio e redundante que seja, quando educamos os nossos filhos, o nosso objetivo deve ser educá-los. E não apenas fazê-los parar de nos incomodar com seu choro, ou de nos cansar com seus pedidos, ou para mostrar o quanto somos imensamente mais fortes e temíveis.

A honra e a autoridade dos pais precisam ser valores muito claros e bem estabelecidos no nosso lar. Deus nos delegou o direito de governar, e não precisamos nos sentir intimidados quanto a isso. Recebemos o direito de disciplinar e corrigir. Porém, sempre com a certeza de que estamos lapidando uma pedra preciosa que tem muito valor.

UM PAI QUE NOS TRAZ DIREÇÃO E SEGURANÇA

> Confia no Senhor de todo o teu coração e não te estribes no teu próprio entendimento. Reconhece-o em todos os teus caminhos, e ele endireitará as tuas veredas.
> **Provérbios 3.5,6 – ARA**

> Ao homem que teme ao Senhor, ele o instruirá no caminho que deve escolher.
>
> **Salmos 25.12 – ARA**

Uma das coisas que mais me impressionam como pai é ver o quanto meus filhos se sentem seguros comigo. Se eu digo para eles se jogarem em meus braços, eles simplesmente se jogam.

Mas é interessante que, à medida que as crianças vão crescendo, elas vão se tornando mais independentes e mais desconfiadas. Nem sempre seu filho verá você como um herói. Nem sempre seu conselho será requisitado.

Quando se trata do nosso relacionamento com nosso Pai celestial, deveríamos ser sempre assim. Mas quantas vezes vamos achando que podemos seguir o rumo que desejamos sem buscar uma direção?

O fato é que a direção de Deus sempre será o caminho mais seguro. O melhor lugar sempre será no centro da sua vontade. E como é preciso descobrir isso. Como nos traz paz e descanso saber que ele está cuidando dos detalhes e está resolvendo o que apenas ele pode resolver.

Precisamos nos relacionar com nossos filhos de forma que eles sintam essa proteção e segurança. É totalmente normal e saudável que, à medida que eles cresçam, confiem mais nas nossas escolhas e decisões. Mas enquanto ainda não sabem, que eles possam ter a certeza de que, em nós, haverá um bom conselho, sabedoria e instrução.

Se você já passou pelo difícil desafio de ter de escolher um único compromisso entre dois convites incríveis que recebeu para o mesmo dia e no mesmo horário, você tem a consciência do quão angustiante é não saber o que escolher. Crianças que recebem limites, instruções claras e convivem com regras são muito mais felizes e seguras. Contudo, vivemos em uma geração na qual pais perguntam aos filhos o tempo todo sobre tudo: "Onde iremos comer?"; "Qual roupa iremos vestir?"; "Qual presente iremos comprar?"; "Em qual escola iremos estudar?". Nossos filhos não deveriam ter o peso de tomar tantas decisões e de guiar tantas escolhas. Mesmo que a intenção seja boa, o que é gerado é ansiedade e insegurança. Acredite em mim, mais do que direito de escolha, seu filho precisa da sua proteção, convicção e cuidado.

UM PAI QUE NÃO NOS EXIGE PERFEIÇÃO

Embora o homem dedique todas as suas forças para alcançar uma perfeição de caráter e comportamento, em algum momento ele falhará.

Como o apóstolo Paulo disse:

> Sei que nada de bom habita em mim, isto é, em minha carne. Porque tenho o desejo de fazer o que é bom, mas não consigo realizá-lo. Pois o que faço não é o bem que desejo, mas o mal que não quero fazer, esse eu continuo fazendo.
> **Romanos 7.18,19**

Muitos entendem perfeitamente que Jesus morreu pelos nossos pecados, mas não têm compreensão de que ele também nos capacitou para viver de forma diferente.

Lembro-me de um exemplo que expressa muito bem isso. Era como se todos nós fôssemos padarias e houvesse um mandamento absoluto para não produzirmos pães. Devido ao nosso temor e o nosso desejo de agradar a Deus, todos os dias, queimávamos todas as fornadas para alcançar o perdão dos nossos pecados. Receberíamos o perdão, mas continuaríamos com um grande problema, porque no dia seguinte e no outro, e assim por diante, teríamos de lidar com o fato de quem éramos: uma padaria que produzia pães.

Mas compreender todos os aspectos da cruz é entender que Deus não apenas queima nossos pães, mas desativa nossa padaria.

Eu espero que você esteja entendendo que não estamos falando de pães, mas dos nossos pecados e da nossa condição de pecadores. Quando recebemos Jesus, nossa natureza é mudada. Como vimos neste livro, Deus coloca as suas leis em nosso coração, e nossos desejos, valores e sonhos são transformados.

Deus nunca nos exigiu perfeição, porque sabe que não daríamos conta, mas resolveu o problema do que produzíamos e de quem éramos colocando-nos em Cristo, que é perfeito.

E quero terminar trazendo a sua memória essa realidade, porque Deus não exige que você seja um pai perfeito pelas suas próprias forças, mas que você saiba que a sua Graça nos supre para essa desafiadora missão. Você não é perfeito, mas tem um Cristo perfeito. Você está nele, e ele promete aperfeiçoá-lo à medida que você o contemplar e segui-lo.

Da mesma forma, assim como tanto foi enfatizado no livro, e volto a fazer, o maior alvo da educação dos nossos filhos é conduzi-los a Jesus. Apenas em Cristo eles terão condições de serem provados e aprovados pelo Senhor. Mas que você possa chegar lá primeiro.

REFERÊNCIAS
BIBLIOGRÁFICAS

Bíblia Almeida Revista e Atualizada com números de Strong. Brazilian Bible Society. Copyright © 1959, 1993. Lexicon Hebraico, Aramaico e Grego de Strong. Copyright da tradução © 2002.

MACARTHUR, John. **Pais sábios, filhos brilhantes.** Rio de Janeiro: Thomas Nelson, 2014.

PIPER, John. **Honrando o chamado bíblico da maternidade.** Originalmente publicado no site "Revive our Hearts", traduzido por Rebecca Figueiredo. Mulheres piedosas, maio/2014. Disponível em: http://www.mulherespiedosas.com.br/chamado-biblico-da-maternidade/ Acesso em: 15 fev. 2022.

SILVA, Márcia. **O processo espiritual na infância.** Goiânia: Videira, 2019.

SILK, Danny. **Loving Our Kids on Purpose. Making a Heart-to-Heart Connection.** Destiny Image Incorporated, December 8, 2008.

STONER, Peter W. **Science Speaks: Scientific Proof of the Accuracy of Prophecy and the Bible.** Moody Pr. June 28, 1958.

Esta obra foi composta em Literata
e impressa por Gráfica Piffer Print sobre
papel Offset 90 g/m² para Editora Vida.